avant :

Zeus/Jupiter : dieux suprêmes de la Grèce et de la Rome antiques... + Atlas : géant révolté contre les dieux. Représentent la Mythologie.

Château, sorcière... :
Représentent contes - légendes - BD - dessins animés - Harry Potter, etc.

arrière :

Robin des bois, le Lièvre et la Tortue:
Représentent les contes, fables et légendes.

QUESTION ET RÉPONSE CÔTE À CÔTE

Il est facile pour le joueur solitaire de s'auto-évaluer : il lui suffit de cacher les réponses du coté droit et de les découvrir une à une. Nul besoin de se reporter à la fin du volume ou en bas de page... ni au verso !

Disposition idéale aussi pour l'animateur d'un groupe : il voit immédiatement la réponse.

Impression Payette & Simms
(St-Lambert, Qc)

Le QUIZ

vol. 13

... *jeunesse 4*

Gilles Brisson

jeu questionnaire
1 500 questions / réponses
+ 15 questions à indices

Données de catalogage avant publication (Canada)
Vedette principale au titre :

Vérifiez vos connaissances : plus de 2000 questions
Comprend un index.
Sommaire: v. 13. *Le Quiz - jeunesse 4*

ISBN : 2-922468-04-6 (v.13)
1. Questions et réponses. I. Brisson, Gilles, 1936-
II. Titre: Le Quiz III. Titre: Le Quiz...jeunesse 4
GV1507.Q5V47 1983 793.73 C84-003841-0 rév.

Dépôt légal - Bibliothèque nationale du Québec, 2003

Dépôt légal - Bibliothèque nationale du Canada, 2003

ISBN : 2-922468-04-6 (v.13)

Dewey : 793.73
B859q

L'auteur remercie...

Toute ma reconnaissance aux personnes qui ont collaboré à la réalisation de ce treizième livre de la collection « Le QUIZ ».

Pour la révision générale du livre :
** Danielle Brisson, de La Minerve.*
** Danielle Del Burgo, de Longueuil.*
** Michel et Jacques Frappier, de Saint-Barthélemy.*
** Christine Froment, de Joliette.*
** France et Pierre Galarneau, d'Amos.*
** Guy Gauthier, de Saint-Jacques.*

Pour l'aide à la rédaction de questions :

** Danielle Brisson.*
** Caroline et Olivier Drouin Tourville, de Repentigny (particulièrement Harry Potter).*
** Christine Froment.*
** Danielle Larose, d'Amos, qui avait accumulé une banque de 2500 questions pour ses groupes d'élèves de 6-7 ans, et dont je me suis inspiré pour quelques dizaines apparaissant dans ce livre.*

Pour la validation des questions ou de formulations :
** Pierre Brabant de Joliette et ses quatre enfants : Francis, Fanny, Vicky et Renaud Brabant.*

Pour la dernière grande révision générale :
** Christine Froment, de Joliette.*

Des remerciements particuliers vont à messieurs Jacques Fabi et André Pelletier, animateurs de l'émission "Bonjour la Nuit" au poste CKAC-73-AM de Montréal, émission radiodiffusée à travers le Québec sur le réseau "Radiomédia" entre 00:01 h et 06:00 h. À la section "Génies en Éveil", de 00:25 h à 00:45 h, du lundi au vendredi, ils m'ont donné l'occasion de les accompagner sur les ondes et de faire jouer leurs auditeurs avec plusieurs questions de ce livre, ce qui m'a amené parfois à modifier le libellé de certaines d'entre elles ou à rajouter une autre réponse acceptable.

Pour la couverture :
Caricatures : Guy Dubé, de Montréal.
Graphisme : cette page couverture a été réalisée par la maison « Oblik Communication » de Rosemont, Montréal.

Gilles Brisson, le 3 juillet 2003

Avis au lecteur

Une étoile (*) au début d'une question signifie que celle-ci se rattache au texte ou à la question qui précède.

* * *

Lors du montage de ce livre, les questions ont été comparées avec celles des trois tomes jeunesse (vol. 9 - 10 et 12), dans le but d'éviter les répétitions. Certaines questions peuvent avoir le même thème, mais sont différentes car elles apportent des notions nouvelles. Il est à noter que deux autres tomes (# 1 et 5) de la collection contiennent, en partie, des questions destinées aux jeunes et que certaines d'entre elles peuvent se retrouver dans le présent volume.

* * *

Dans l'ensemble, il est possible que des questions soient jugées « difficiles » compte tenu du groupe d'âge dans lequel elles ont été classées. Il faut cependant se rappeler que l'objectif de ce livre est non seulement de vérifier ses connaissances mais aussi de les enrichir.

* * *

Un soin particulier a été apporté afin d'offrir des questions claires et concises. Toutefois, il est important de souligner que le but visé, en fournissant des indications supplémentaires, est de permettre au lecteur et aux joueurs de mieux cerner le sujet pour en apprendre davantage et élargir leurs connaissances.

* * *

Malgré le fait que les questionnaires soient révisés par plusieurs personnes, il est presque inévitable que des coquilles ou de légères omissions se soient glissées dans le libellé d'une question. Je souhaite que cette situation, si elle survient, ne porte pas préjudice au lecteur ou aux joueurs.

* * *

Si vous désirez mettre à jour vos livres de la collection Le QUIZ, une liste de corrections, records battus ou coquilles est publiée dans ce livre, à la page 140.   NOLA

VIE ANIMALE :

1)	Quel insecte fabrique le miel ?	L'ABEILLE
2)	De quelle couleur sont les ours qui vivent près du pôle Nord ?	BLANCS
3)	Quel animal ressemble à un cheval et est rayé de noir et blanc ?	Le ZÈBRE
4)	Nommez le piège de l'araignée.	Sa TOILE

CONTES & LÉGENDES :

1)	Quel éléphant peut voler ?	*DUMBO*
2)	Selon la légende, quel animal distribue les *oeufs de Pâques* ?	Le LAPIN
3)	*Cendrillon* vivait avec des demi-sœurs... Combien en avait-elle ?	DEUX
4)	Quel est le prénom de *la Petite Sirène* ?	*ARIEL* (Version Disney)

DIVERS :

1)	Quelle est la dernière lettre de l'alphabet ?	« Z »
2)	En Chine et au Japon, quels ustensiles utilise-t-on pour manger ?	Des BAGUETTES
3)	À quelle date est fêtée l'Halloween ?	Le 31 OCTOBRE
4)	Que collons-nous sur une enveloppe pour l'expédier par la poste ?	* Un... TIMBRE * TIMBRE-POSTE

BD & DESSINS ANIMÉS :

	Question	Réponse
1)	À qui appartient le chien *Pluto* ?	*MICKEY* MOUSE
2)	Quel héros porte un costume de chauve-souris ?	*BATMAN*
3)	Que peut-on capturer avec une *Poké Ball (une balle Poké)* ?	Un *POKÉMON*
4)	De quelle couleur est le pantalon du *Grand Schtroumpf* ?	ROUGE

MATHÉMATIQUES :

	Question	Réponse
1)	Dites si le nombre 3 est pair, impair ou neutre.	IMPAIR
2)	Quel est le cinquième nombre de la série suivante : 15 – 18 – 21 – 24 – ?	VINGT-SEPT
3)	Tu as deux sœurs et un frère. Combien d'enfants êtes-vous à la maison ?	QUATRE
4)	Quel nombre vais-je obtenir si j'enlève 2 à 23 ?	VINGT ET UN

DIVERS :

	Question	Réponse
1)	Quelle est la troisième lettre de l'alphabet ?	« C »
2)	De quelle fête le sapin décoré est-il une tradition ?	NOËL
3)	Lors d'un anniversaire de naissance, sur quoi allume-t-on des chandelles ?	Un GÂTEAU
4)	Comment appelez-vous ce grand bâtiment où travaillent les médecins et les infirmières qui soignent les gens blessés ou malades ?	Un HÔPITAL

GÉOGRAPHIE :

	Question	Réponse
1)	Du côté de quel point cardinal le Soleil se lève-t-il ?	À l'EST
2)	Comment nomme-t-on une montagne qui crache de la lave et du feu ?	Un VOLCAN
3)	Quel est l'aliment de base des Chinois et des Japonais ?	Le RIZ
4)	Quel mot désigne la sphère représentant la Terre et les pays ?	Un GLOBE terrestre

CONTES & LÉGENDES :

	Question	Réponse
1)	Quel personnage vit dans la lampe d'*Aladin* ?	Le *GÉNIE*
2)	Combien de nains accompagnent *Blanche-Neige* ?	SEPT
3)	Quelle jeune fille brisa la chaise de *Bébé-Ours* dans la maison des *Trois Ours* ?	*BOUCLE D'OR*
4)	Par quel moyen la reine a-t-elle appris que *Blanche-Neige* était plus belle qu'elle ?	Par SON MIROIR

DIVERS :

	Question	Réponse
1)	Lors de quelle fête offre-t-on des œufs en chocolat ?	À PÂQUES
2)	Sur quel meuble dispose-t-on des napperons devant chaque personne ?	Une TABLE
3)	Quelles sont les deux couleurs du manteau du Père Noël ?	* BLANC * ROUGE
4)	Dans quelle pièce de la maison les repas sont-ils préparés ?	La CUISINE

BOTANIQUE :

	Question	Réponse
1)	Durant quelle saison fait-on la cueillette des fruits dans les vergers ?	L'AUTOMNE
2)	Quelle est la couleur de la fleur nommée *bouton d'or* ?	JAUNE
3)	Dites un nom qui a la même signification que le mot *gazon*.	* HERBE * PELOUSE
4)	Quelles sont les deux couleurs de la plupart des arbres : feuilles et tronc ?	* VERT * BRUN

MATHÉMATIQUES :

	Question	Réponse
1)	Si j'ajoute trois dizaines à 56, quel sera mon total ?	QUATRE-VINGT-SIX
2)	Dans combien d'années auras-tu dix ans si tu as sept ans actuellement ?	TROIS
3)	Il est cinq heures trente-sept minutes. Quelle heure était-il il y a dix minutes ?	CINQ HEURES VINGT-SEPT
4)	Placez les nombres suivants en ordre croissant : 32 – 19 – 26.	19 - 26 - 32

DIVERS :

	Question	Réponse
1)	Qui livre le courrier de porte en porte ?	Le FACTEUR
2)	Par quelle lettre commence-t-on à écrire le mot automobile ?	« A »
3)	Sur quoi écrit-on nos vœux, nos souhaits ou nos sympathies ?	Une CARTE
4)	Quelle journée de la semaine vient après le jeudi ?	VENDREDI

BD & DESSINS ANIMÉS :

Question	Réponse
1) Nommez le compagnon de *Daisy*.	*DONALD le Canard*
2) *Miss Piggy* veut épouser quelle grenouille ?	*KERMIT*
3) Avec les peaux de quels animaux la méchante *Cruella* veut-elle se faire un manteau ?	Des *DALMATIENS*
4) Quel *Schtroumpf* aime jouer des tours ?	*FARCEUR*

CONTES & LÉGENDES :

Question	Réponse
1) Par quelle expression débutent la plupart des contes et légendes ?	IL ÉTAIT UNE FOIS...
2) Quel animal fabuleux est représenté avec des ailes, des griffes de lion, une queue de serpent et crache du feu ?	Le DRAGON
3) Si *Babar* est le roi des éléphants, quelle en est la reine ?	*CÉLESTE*
4) Quel mets *Boucle d'Or* a-t-elle mangé dans la maison des *Trois Ours* ?	* Leur SOUPE * BOUILLIE D'AVOINE (gruau) (selon source)

DIVERS :

Question	Réponse
1) Comment appelle-t-on les personnes chargées d'éteindre les incendies ?	Les POMPIERS
2) En musique, quelle note vient après le « ré » ?	MI
3) De quelle couleur est l'eau potable : bleue, blanche ou incolore (transparente) ?	INCOLORE
4) Quel objet nous indique l'heure ?	* Une PENDULE * Un CADRAN * Une MONTRE * Une HORLOGE

NOTIONS SCIENTIFIQUES :

	Question	Réponse
1)	Quel appareil utilise-t-on pour peser les objets ?	La BALANCE
2)	Quel accessoire nous permet de changer de chaîne de télévision à distance ?	La TÉLÉCOMMANDE
3)	Des trois moyens de transport suivants : auto, train et avion, lequel est le plus rapide ?	L'AVION
4)	Comment désigne-t-on la roche fondue et brûlante qui se dégage d'un volcan ?	* La LAVE * Le MAGMA

MATHÉMATIQUES :

	Question	Réponse
1)	Si j'ajoute une dizaine à 22, quel sera mon total ?	TRENTE-DEUX
2)	Combien y a-t-il de centimètres dans un décimètre ?	DIX
3)	Quel chiffre représente les unités dans le nombre 123 ?	TROIS
4)	Un fermier australien possède 5 moutons et 4 kangourous. Combien a-t-il d'animaux en tout ?	NEUF

DIVERS :

	Question	Réponse
1)	Quel oiseau de basse-cour fournit les œufs que nous mangeons habituellement ?	La POULE
2)	*Mickey Mouse* représente quelle sorte d'animal ?	Une SOURIS
3)	Quelle est la saison la plus froide ? (Hémisphère nord)	L'HIVER
4)	Quel est le lendemain du mardi ?	MERCREDI

JEUX :

	Question	Réponse
1)	Combien de participants y a-t-il lors d'une partie d'échecs ?	DEUX
2)	Des quatre formes apparaissant sur les cartes à jouer, laquelle ne possède pas de formes arrondies dans son motif ?	Le CARREAU
3)	Dans un jeu de cartes, laquelle des trois figures a la plus grande valeur ?	Le ROI (K)
4)	* Alors, laquelle représente la valeur la plus basse ?	Le VALET (J)

CONTES & LÉGENDES :

	Question	Réponse
1)	Qui est à la tête des pirates dans *Peter Pan* ?	Le capitaine *CROCHET*
2)	À qui le *Petit Chaperon rouge* allait-il rendre visite ?	Sa GRAND-MÈRE Sa MÈRE-GRAND
3)	Nommez l'ourson qui vit dans la *Forêt des Cent Acres*.	*WINNIE*
4)	Dans quel conte la princesse se nomme *Jasmine* ? (version Disney)	*ALADIN*

DIVERS :

	Question	Réponse
1)	Quel métier exerce la personne qui vend des fleurs ?	FLEURISTE
2)	Quelle est la date du Jour de l'An ?	Le 1er JANVIER
3)	Durant la semaine, quel jour suit le dimanche ?	Le LUNDI
4)	Comment désigne-t-on une bicyclette conçue pour deux personnes ?	Un TANDEM

VIE ANIMALE :

	Question	Réponse
1)	Quel animal est surtout connu pour son très long cou ?	La GIRAFE
2)	Quel oiseau est capable d'imiter la parole humaine ?	* Le PERROQUET * Le MAINATE
3)	Quel insecte vit dans une ruche ?	L'ABEILLE
4)	De quelle partie de son corps l'oiseau a-t-il besoin pour voler ?	Ses AILES

MATHÉMATIQUES :

	Question	Réponse
1)	Quel nombre vient après 49 ?	CINQUANTE
2)	Combien y a-t-il d'heures dans une journée ?	VINGT-QUATRE
3)	Placez en ordre décroissant les valeurs suivantes : 27 – 17 et 42.	42 - 27 - 17
4)	Dans un autobus, il y a 22 passagers. À l'arrêt suivant, 2 personnes montent et 4 descendent. Combien de passagers y a-t-il maintenant ?	VINGT

DIVERS :

	Question	Réponse
1)	Comment nomme-t-on la petite assiette qui se place sous la tasse ?	La SOUCOUPE
2)	Comment se nomme le lieu où les avions s'envolent et atterrissent ?	Un AÉROPORT
3)	Quel mot désigne un champ de pommiers ?	Un VERGER
4)	Quel est ce grand morceau de tissu, muni de cordes et d'un harnais, qui nous permet de sauter d'un avion et d'atterrir doucement au sol ?	Un PARACHUTE

BD & DESSINS ANIMÉS :

	Question	Réponse
1)	Que vole *Yogi* l'ours aux campeurs et aux pique-niqueurs ?	Leur panier de PROVISIONS
2)	À quels personnages associez-vous les noms suivants : *Tinky Winky, Laa-Laa, Dipsy* et *Po* ?	Les *TÉLÉTUBBIES*
3)	Dans *Tom et Jerry*, quelle espèce d'animal est personnifiée par *Jerry* ?	Une SOURIS
4)	Nommez l'un des neveux de *Donald le Canard*.	* *FIFI* * *RIRI* * *LOULOU*

CONTES & LÉGENDES :

	Question	Réponse
1)	Dans *la Petite Sirène*, quel est le lien de parenté entre *Ariel* et *Triton* ? (version Disney)	FILLE et PÈRE
2)	Quels personnages aident le *Père Noël* à fabriquer les jouets destinés aux enfants ?	Les *LUTINS*
3)	Par qui sera aidée *Cendrillon* pour aller au bal ?	Sa MARRAINE
4)	Qu'a mangé *Blanche-Neige* avant de s'endormir ?	Une POMME

DIVERS :

	Question	Réponse
1)	Quel mot désigne un groupe de musiciens qui jouent de différents instruments sur une scène ?	Un ORCHESTRE
2)	Comment nomme-t-on les tours qui émettent de la lumière à leur sommet pour guider les bateaux ?	Des PHARES
3)	Quelles sont ces sortes de poupées que l'on enfile comme un gant pour les faire bouger avec les doigts ?	Des MARIONNETTES
4)	Quelles sont les deux couleurs qu'il faut mélanger pour obtenir de l'orange ?	* JAUNE * ROUGE

CUISINE :

	Question	Réponse
1)	Quel est le principal ingrédient qui entre dans la fabrication du ketchup ?	La TOMATE
2)	Quel aliment utilise-t-on pour farcir les olives ?	* POIVRON rouge * PIMENT doux
3)	Quelle expression signifie : « Extraire le jus d'un citron » ?	PRESSER un citron
4)	Si vous préparez de la soupe à l'oignon gratinée, qu'allez-vous ajouter sur le dessus avant de la passer au four ?	Du FROMAGE râpé

MATHÉMATIQUES :

	Question	Réponse
1)	Quel nombre vient après onze ?	DOUZE
2)	Si j'ajoute deux dizaines à 16, quel sera le total ?	TRENTE-SIX
3)	Quel nombre pair y a-t-il entre sept et dix ?	HUIT
4)	Si ton frère a huit ans, quel âge aura-t-il dans cinq ans ?	TREIZE ans

DIVERS :

	Question	Réponse
1)	Combien d'années a vécu la personne qui devient centenaire ?	CENT ans
2)	Comment appelle-t-on ce grand récipient transparent que l'on remplit d'eau afin d'y garder des poissons ?	Un AQUARIUM
3)	Nommez le gros livre dans lequel sont inscrits les numéros de téléphone d'une région.	* ANNUAIRE... * BOTTIN... téléphonique
4)	Comment appelle-t-on l'ensemble des lettres, placées dans un ordre établi, qui servent à écrire des mots ?	L'ALPHABET

SPORTS :

	Question	Réponse
1)	Dans un sport d'équipe, quelle personne a le droit de siffler ?	L'ARBITRE
2)	Nommez un sport de combat dont le nom commence par la lettre « B ».	BOXE
3)	La balle la plus légère est utilisée dans quel sport ?	* PING-PONG * TENNIS DE TABLE
4)	Au hockey, combien chaque équipe a-t-elle de joueurs à la fois sur la patinoire ?	SIX

CONTES & LÉGENDES :

	Question	Réponse
1)	En quel genre d'oiseau se transforme le *Vilain Petit Canard* ?	Un CYGNE
2)	Quel animal a mangé le *Petit Chaperon rouge* ?	Le *LOUP*
3)	En compagnie de quelle fée *Peter Pan* vole-t-il ?	La fée *CLOCHETTE*
4)	Dans quel conte une citrouille se change-t-elle en carrosse ?	*CENDRILLON*

DIVERS :

	Question	Réponse
1)	Si aujourd'hui c'est mardi, quel jour serons-nous après-demain ?	JEUDI
2)	Comment appelle-t-on le costume des ballerines ?	Le TUTU
3)	Quel est ce petit bâtonnet de bois ou de carton dont le bout s'enflamme quand on le frotte sur une surface rugueuse ?	Une ALLUMETTE
4)	Quel titre porte celui qui dirige un orchestre avec sa baguette ?	Le CHEF D'ORCHESTRE

BD & DESSINS ANIMÉS :

	Question	Réponse
1)	Dans *le Roi Lion*, qui est le grand ami de *Nala* ?	*SIMBA*
2)	Quelle lettre apparaît sur le costume de *Robin,* l'ami de *Batman* ?	« R »
3)	Nommez l'un des deux *Pokémons* en forme d'étoile.	* *STARYU* (*Stari*) * *STARMIE* (*Staross*)
4)	Que contiennent les cadeaux du *Schtroumpf Farceur* ?	Des PÉTARDS

MATHÉMATIQUES :

	Question	Réponse
1)	Combien de côtés un triangle possède-t-il ?	TROIS
2)	Parmi les nombres suivants, lequel est le plus grand : 12 – 60 – 45 – 24 ?	SOIXANTE
3)	Jean a huit ans. Dans combien d'années aura-t-il douze ans ?	QUATRE
4)	Quel est le total de cinq et six ?	ONZE

DIVERS :

	Question	Réponse
1)	En musique, combien compte-t-on de notes dans la gamme ?	SEPT
2)	Comment nomme-t-on les formes blanches, aux allures variées, que l'on voit dans le ciel ?	Les NUAGES
3)	Quelle partie de la maison est située sous le niveau du sol ?	* La CAVE * Le SOUS-SOL
4)	Dans quel coin d'une enveloppe appose-t-on le timbre-poste ?	COIN DROIT, EN HAUT

BOTANIQUE :

	Question	Réponse
1)	Quelle est la couleur de la chair d'un kiwi ?	VERTE
2)	Comment désigne-t-on un groupe de raisins assemblés sur une tige ?	Une GRAPPE
3)	De quelle couleur sont les sapins ?	VERTS
4)	Quelles sont les deux couleurs de la marguerite commune ?	* BLANCHE * JAUNE

BD & DESSINS ANIMÉS :

	Question	Réponse
1)	Nommez le plus grand ennemi de *Batman*.	*LE JOKER*
2)	Dans *Les Aristochats*, combien de chats possède madame Bonnefamille ?	QUATRE
3)	Nommez l'oncle très riche de *Donald le Canard*.	*PICSOU*
4)	Quel personnage persécute les *Schtroumpfs* ?	*GARGAMEL*

DIVERS :

	Question	Réponse
1)	Sur quelles bandes d'acier un train roule-t-il ?	Des RAILS
2)	Comment désigne-t-on la boîte, faite de métal ou de plastique, servant à ranger les outils ?	* Un COFFRE... * Une BOÎTE... à outils
3)	Comment désigne-t-on un vélo à trois roues ?	Un TRICYCLE
4)	Dans quel récipient retrouve-t-on généralement le vin que l'on achète ?	Une BOUTEILLE

NOTIONS SCIENTIFIQUES :

Question	Réponse
1) Comment nomme-t-on la substance injectée par le médecin pour prévenir certaines maladies ?	Un VACCIN
2) Quel nom désigne le grand demi-cercle de couleurs apparaissant parfois dans le ciel après une pluie ?	Un ARC-EN-CIEL
3) Quel est cet appareil qui ne possède pas d'ailes et qui peut voler grâce aux hélices situées au-dessus de lui et à l'arrière ?	Un HÉLICOPTÈRE
4) Lorsqu'il fait très froid, la pluie qui tombe se change en... quoi ?	NEIGE

MATHÉMATIQUES :

Question	Réponse
1) Quel nombre vient tout juste avant quinze ?	QUATORZE
2) Donnez le résultat de l'opération suivante : 5 + 3 + 4 – 6 égale ?	SIX
3) Quel est le total de 4 dizaines plus 3 unités ?	QUARANTE-TROIS
4) Olivier a dix ans et sa sœur Jeannie a trois ans de moins. Quel âge a Jeannie ?	SEPT ans

DIVERS :

Question	Réponse
1) Comment nomme-t-on la personne qui conduit un avion ?	Un PILOTE
2) Combien faut-il de personnes pour former un trio ?	TROIS
3) Quelle pièce de métal, fixée au bout d'une chaîne ou d'un câble, sert à immobiliser un navire en s'accrochant au fond de l'eau ?	Une ANCRE
4) Nommez un moyen de transport dont la première lettre est un « A ».	* AVION * AUTOBUS * AUTOMOBILE...

VIE ANIMALE :

	Question	Réponse
1)	Lequel des trois insectes suivants est le plus gros : la mouche, l'abeille ou la libellule ?	La LIBELLULE
2)	Quelle partie du corps d'un *serpent à sonnette* émet du bruit ?	Le bout de sa QUEUE
3)	Quel temps fait-il lorsque la cigale ou le criquet chante ?	CHAUD
4)	Quel animal d'Australie, se déplaçant par bonds, est un mammifère dont le petit demeure dans sa poche ventrale durant les six premiers mois de sa vie ?	* Le KANGOUROU * Le WALLABY

CONTES & LÉGENDES :

	Question	Réponse
1)	Nommez l'animal méchant dans les contes suivants : *Le petit Chaperon rouge* et *Les trois petits Cochons*.	Le *LOUP*
2)	Qui sont les personnages suivants : *Joyeux, Dormeur, Simplet, Grincheux* et *Timide* ?	Des NAINS (dans *Blanche-Neige*)
3)	Dans quel conte y a-t-il une maison construite en pain d'épice ?	*HANSEL ET GRETEL*
4)	* Quel personnage habite cette maison en pain d'épice ?	Une SORCIÈRE

DIVERS :

	Question	Réponse
1)	Comment désigne-t-on les dessins que certaines personnes se font faire sur la peau ?	Des TATOUAGES
2)	Comment appelle-t-on la boisson alcoolisée que les adultes boivent en mangeant ?	* Du VIN * De la BIÈRE
3)	En musique, comment nomme-t-on les cinq lignes horizontales sur lesquelles les notes sont inscrites ?	Une PORTÉE
4)	Nommez les deux journées de la *fin de semaine*.	* SAMEDI * DIMANCHE

BD & DESSINS ANIMÉS :

	Question	Réponse
1)	Nommez le compagnon de *Batman*.	*ROBIN*
2)	Quel genre d'animaux sont *Zapdos* (*Electhor*) et *Articuno* (*Artikodin*) dans les *Pokémons* ?	Des OISEAUX
3)	Quelles sont les maisons des *Schtroumpfs* ?	Des CHAMPIGNONS
4)	Quels petits personnages ont une télévision sur leur ventre ?	Les *TÉLÉTUBBIES*

MATHÉMATIQUES :

	Question	Réponse
1)	Quel nombre se situe entre 39 et 41 ?	QUARANTE
2)	Quel est le quatrième nombre de la série suivante : 2 - 4 - 6 - ?	HUIT
3)	Combien de fruits as-tu au total si tu possèdes 3 pommes, 2 bananes et 2 oranges ?	SEPT
4)	Donnez le 4e nombre de la série : 23 - 25 - 27 - ?	VINGT-NEUF

DIVERS :

	Question	Réponse
1)	Dans quel genre de magasin se procure-t-on des médicaments prescrits par un médecin ?	Une PHARMACIE
2)	Quel mot commençant par la lettre « V » désigne une bicyclette ?	VÉLO
3)	Quelle sorte de bouteille peut garder une boisson au chaud ?	* Un THERMOS * Une BOUTEILLE ISOLANTE
4)	Comment nomme-t-on le petit lit d'un nouveau-né ?	* Un BER * Un BERCEAU * Un MOÏSE

BIOLOGIE :

	Question	Réponse
1)	Nommez le plus long doigt de la main.	Le MAJEUR
2)	Lequel des cinq sens se situe sur la langue ?	Le GOÛT
3)	À quel doigt les gens mariés portent-ils leur anneau ?	L'ANNULAIRE
4)	Avec lequel de tes cinq sens peux-tu entendre ?	* L'OUÏE * (L'OREILLE)

CONTES & LÉGENDES :

	Question	Réponse
1)	À qui le *Lapin Blanc* sert-il de guide dans un pays merveilleux ?	*ALICE*
2)	À quelle Amérindienne associez-vous *Mecko*, le raton laveur ?	*POCAHONTAS*
3)	Quel animal a arraché une main au capitaine *Crochet* ?	Un CROCODILE
4)	* Quel est le nom de cet animal ?	*TIC-TAC*

DIVERS :

	Question	Réponse
1)	Dans un immeuble, quelle est cette cabine qui permet de transporter les gens d'un étage à l'autre ?	Un ASCENSEUR
2)	Comment désigne-t-on la personne qui travaille dans un restaurant, prend les commandes et les apporte ?	SERVEUR (EUSE)
3)	Durant les mois de juillet et août, en quelle saison sommes-nous ?	En ÉTÉ
4)	À quelle date fête-t-on Noël chez les chrétiens ?	Le 25 DÉCEMBRE

JEUX :

	Question	Réponse
1)	Quel château peut-on construire difficilement car il peut s'écrouler à tout moment ?	Un CHÂTEAU DE CARTES
2)	Au *Bingo*, quel est le nombre le plus élevé que l'on peut retrouver sur une carte ?	SOIXANTE-QUINZE
3)	Lorsque l'on joue au jeu de *Serpents et échelles*, que se produit-il quand on arrive sur la queue d'un serpent ?	* On DESCEND * On GLISSE * On RECULE…
4)	Si je lance deux dés, quelle somme maximale est-il possible d'obtenir ?	DOUZE

MATHÉMATIQUES :

	Question	Réponse
1)	Combien y a-t-il de côtés dans un carré ?	QUATRE
2)	Que dit-on des nombres qui sont divisibles par « 2 » ?	Nombres PAIRS
3)	Un dé à jouer a la forme de quel solide ?	Un CUBE
4)	J'ai 12 fruits et j'en mange 7. Combien en reste-t-il ?	CINQ

DIVERS :

	Question	Réponse
1)	Comment désigne-t-on deux enfants nés presque en même temps de la même mère ?	Des… * JUMEAUX * JUMELLES
2)	Si *dimanche* est le premier jour de la semaine, nommez les deux jours suivants.	* LUNDI * MARDI
3)	Quelle fête de février est symbolisée par un cœur ou un *Cupidon* ?	La SAINT-VALENTIN
4)	Quelle heure est-il lorsque la grande aiguille de l'horloge est sur le douze et la petite sur le cinq ?	* CINQ HEURES * DIX-SEPT HEURES

BD & DESSINS ANIMÉS :

	Question	Réponse
1)	Nommez la voiture de *Batman*.	La BATMOBILE
2)	Quel est le nom de ce joyeux personnage en forme d'éponge carrée ?	*BOB* l'éponge
3)	Dans *Les Aristochats*, de quelle couleur est le chaton *Toulouse* ?	Il est ROUX
4)	Quel *Pokémon* est capable de déplacer des personnes ou des objets à l'aide de sa pensée ?	*ABRA*

CONTES & LÉGENDES :

	Question	Réponse
1)	Dans quelle région habite le *Père Noël* ?	Au PÔLE NORD
2)	Nommez le héros du conte dans lequel les animaux doivent s'enfuir de la forêt en flammes.	*BAMBI*
3)	Dans *Blanche-Neige*, quelle matière précieuse est exploitée par les *Sept Nains* dans leur mine ?	Des DIAMANTS
4)	Dans quel conte rencontre-t-on le personnage de *la Reine de Cœur* ?	*ALICE AU PAYS DES MERVEILLES*

DIVERS :

	Question	Réponse
1)	Nommez l'appareil dont on se sert pour faire griller des tranches de pain.	Un GRILLE-PAIN
2)	Comment désigne-t-on le récipient pour le savon que l'on trouve sur le lavabo de la salle de bain ?	Le PORTE-SAVON
3)	Quel nom désigne la corde ou la chaîne utilisée pour promener un chien ?	Une LAISSE
4)	Nommez deux des trois principaux ustensiles utilisés à table.	* COUTEAU * CUILLER * FOURCHETTE

VIE ANIMALE :

Question	Réponse
1) Quel insecte dévore les pucerons : l'abeille, la libellule ou la coccinelle ?	La COCCINELLE
2) Lors d'un pique-nique, vous offrez trois aliments à un écureuil. Lequel choisira-t-il entre du jambon, des noix et du pain ?	Des NOIX
3) Quel gros animal adore manger le miel contenu dans les ruches ?	L'OURS
4) Dans une ruche, quelle abeille a pour tâche de pondre les œufs ?	La REINE

MATHÉMATIQUES :

Question	Réponse
1) Combien y a-t-il de jours dans deux semaines ?	QUATORZE
2) Quel est le plus grand des nombres suivants : 45, 12, 53 et 62 ?	SOIXANTE-DEUX
3) Pour obtenir 27, combien dois-je ajouter à 18 ?	NEUF
4) Si l'anniversaire de naissance de votre sœur est le 21 septembre et celui de votre frère cinq jours plus tard, à quelle date sera-t-il fêté ?	Le VINGT-SIX SEPTEMBRE

DIVERS :

Question	Réponse
1) Quelles sont les deux couleurs requises pour obtenir le turquoise ?	* VERT * BLEU
2) Quelle matière première utilise-t-on pour fabriquer du fromage ?	Du LAIT (crème)
3) Quel est le mois entre mars et mai ?	AVRIL
4) Nommez l'un des trois principaux personnages que l'on voit au cirque.	* L'ACROBATE * Le DOMPTEUR * Le CLOWN (bouffon)

NOTIONS SCIENTIFIQUES :

	Question	Réponse
1)	De quoi est formée la glace ?	D'EAU (gelée)
2)	Comment nomme-t-on un navire qui peut se déplacer sous la surface de l'eau ?	Un SOUS-MARIN
3)	Durant quelle saison de l'année les feuilles des arbres changent-elles de couleurs ?	L'AUTOMNE
4)	Quelle quantité d'eau donne une tasse de neige que l'on fait fondre : moins d'une tasse, plus d'une tasse ou exactement une tasse ?	MOINS d'une tasse

BD & DESSINS ANIMÉS :

	Question	Réponse
1)	Dans quel dessin animé retrouve-t-on des bébés comme personnages principaux ?	Les *RAZMOKET*
2)	Nommez le dinosaure de *Fred Caillou*.	*DINO*
3)	Nommez l'un des deux parents de la portée de 15 chiots dans *Les 101 Dalmatiens*.	* *PONGO* * *PERDITA* (*PERDY*)
4)	Qui poursuit toujours la souris *Jerry* ?	TOM (le chat)

DIVERS :

	Question	Réponse
1)	Comment nomme-t-on l'endroit où l'on peut emprunter des livres ou les consulter ?	Une BIBLIOTHÈQUE
2)	Quels magasins se spécialisent dans la vente des livres ?	Les LIBRAIRIES
3)	Quelles personnes sont fêtées le jour de la Saint-Valentin ?	Les AMOUREUX
4)	* Quelle est la date de cette fête ?	Le 14 FÉVRIER

BOTANIQUE :

	Question	Réponse
1)	Comment se nomment les graines contenues dans la pomme ?	Les PÉPINS
2)	Au printemps, que voit-on apparaître en premier sur les arbres et les autres plantes ?	Des BOURGEONS
3)	Quel arbre produit les bananes ?	Le BANANIER
4)	Quel mot désigne la partie extérieure du tronc d'un arbre ?	L'ÉCORCE

MATHÉMATIQUES :

	Question	Réponse
1)	Combien y a-t-il de dizaines dans 35 ?	TROIS
2)	Dites le cinquième nombre de la série suivante : 15 – 12 – 9 – 6 - ?	TROIS
3)	Combien y a-t-il de centaines dans 247 ?	DEUX
4)	Complétez le dernier couple de nombres : (2 – 4), (1 – 3), (3 - ?)	CINQ

DIVERS :

	Question	Réponse
1)	Par quel signe de ponctuation une phrase se termine-t-elle généralement ?	Un POINT
2)	Comment appelle-t-on la lunette d'approche double permettant d'observer des objets éloignés ?	Des JUMELLES
3)	Que suis-je ? - Je suis un ensemble de marches permettant de passer d'un étage à l'autre.	Un ESCALIER
4)	Nommez les trois figures dans un jeu de cartes.	* ROI * DAME * VALET

SPORTS :

	Question	Réponse
1)	Lors d'une compétition olympique, quelle médaille est décernée au vainqueur ?	La médaille d'OR
2)	Quel sport de combat se pratique avec de gros gants ?	La BOXE
3)	Quel mot désigne la plate-forme sur laquelle un plongeur prend son élan pour sauter ?	* Le TREMPLIN * Le PLONGEOIR
4)	Comment nomme-t-on la personne qui dirige les joueurs d'un sport d'équipe ?	* L'ENTRAÎNEUR * L'INSTRUCTEUR

CONTES & LÉGENDES :

	Question	Réponse
1)	Quelle sorte d'animal est *Timothée*, l'amie de *Dumbo* ?	Une SOURIS
2)	Quelle méchante fée est responsable du mauvais sort qu'a subi la *Belle au Bois dormant* ?	Fée *CARABOSSE*
3)	Quelle sorte d'animal est *Naf-Naf* ?	Un petit COCHON
4)	Nommez la petite princesse dans le conte *La Belle au Bois dormant*.	*AURORE*

DIVERS :

	Question	Réponse
1)	Quel gros fruit symbolise l'Halloween ?	La CITROUILLE
2)	Combien de corne(s) possède la licorne ?	UNE seule
3)	Quel mois est situé entre juillet et septembre ?	AOÛT
4)	Par quel genre de lettre commence-t-on à écrire le premier mot d'une phrase ?	Une MAJUSCULE

BD & DESSINS ANIMÉS :

1) Nommez l'ours qui vit toutes sortes d'aventures dans le parc de Yellowstone.	*YOGI*
2) Quelle souris de dessins animés est la plus populaire du monde ?	*MICKEY MOUSE*
3) Nommez la fille de *Fred Caillou*.	*AGATHE*
4) Quelle sorte d'animal est *Flipper* ?	Un DAUPHIN

DIVERS :

1) Nommez l'ami de *Barbie*.	KEN
2) Quel mot désigne la surface d'une télévision où apparaît l'image ?	L'ÉCRAN
3) Combien y a-t-il d'heures entre minuit et midi ?	DOUZE
4) Quelle est cette pâte épaisse que l'on dépose sur notre brosse à dents ?	* Du DENTIFRICE * De la PÂTE DENTIFRICE

CONTES & LÉGENDES :

1) Qui souffle sur les maisons des *Trois Petits Cochons* pour les détruire ?	Le *LOUP*
2) Quel nain des aventures de *Blanche-Neige* éternue souvent ?	*ATCHOUM*
3) Dans *Bambi*, quelle sorte d'animal est *Pan-Pan* ?	Un LAPIN
4) En quoi était fabriqué le pantin *Pinocchio* ?	En BOIS

DIVERS :

	Question	Réponse
1)	Sur quel pont danse-t-on tout en rond ?	Pont d'AVIGNON
2)	Quelle saison vient immédiatement avant l'hiver ?	L'AUTOMNE
3)	Lorsqu'il est midi, quelle est la valeur en nombre de l'heure affichée : dix heures, onze heures, douze heures ou treize heures ?	DOUZE heures
4)	L'alphabet se divise en deux groupes de lettres : les consonnes et… ?	Les VOYELLES

BIOLOGIE :

	Question	Réponse
1)	En tenant compte de nos deux mains, combien de doigts avons-nous au total ?	DIX
2)	Lequel de nos cinq doigts est le plus gros ?	Le POUCE
3)	Comment s'appelle la cicatrice ronde que nous avons tous au milieu du ventre ?	Le NOMBRIL
4)	Quand on montre du doigt, quel doigt de la main utilise-t-on ?	L'INDEX

DIVERS :

	Question	Réponse
1)	À quelle heure passe-t-on d'une journée à une autre?	* MINUIT * 24 HEURES
2)	Quel est le dernier mois de l'année ?	DÉCEMBRE
3)	À qui s'adresse la chanson *Au clair de la Lune* ?	Mon ami PIERROT
4)	Dites et épelez le mot qui désigne le meuble sur lequel on se couche pour dormir.	L-I-T

QUE SUIS-JE ? :

A) Ancien moyen de transport, on dit souvent que j'ai une cinquième roue.

B) J'étais tiré par des chevaux.

C) J'ai transporté des rois et des reines.

D) *Cendrillon* m'a utilisé pour se rendre au bal.

Un CARROSSE

QUE SUIS-JE ? :

A) On me porte dans un bal masqué.

B) Je suis sauvage et peux mordre.

C) On parle de moi lorsqu'on a faim.

D) Je hurle souvent à la Lune.

Un LOUP

QUE SUIS-JE ? :

A) Au fond d'une rivière, je suis recouvert d'eau.

B) Dans la maison, je n'ai pas froid parce qu'on me garde sous des couvertures.

C) Il est difficile de me quitter quand on est malade ou fatigué.

D) Je suis le principal meuble de la chambre à coucher.

Le LIT

GÉOGRAPHIE :

	Question	Réponse
1)	Quelle couleur utilise-t-on pour représenter une étendue d'eau sur une carte géographique ?	Le BLEU
2)	Comment nomme-t-on une étendue d'eau entourée de terre ?	Un LAC
3)	Comment nomme-t-on une étendue de terre entourée d'eau ?	Une ÎLE
4)	Que contient l'eau de l'océan que n'a pas l'eau d'un lac ou d'une rivière ?	Du SEL

DIVERS :

	Question	Réponse
1)	En musique, quelle note précède le « la » ?	SOL
2)	Quel nom donne-t-on au passage construit sous un cours d'eau permettant de le traverser en auto ?	Un TUNNEL
3)	Qu'est-ce qu'un *bouquin* ?	Un LIVRE
4)	Comment s'appelle le siège de cuir placé sur le dos d'un cheval et sur lequel le cavalier s'assoit ?	Une SELLE

VIE ANIMALE :

	Question	Réponse
1)	Comment nomme-t-on le bâtiment où logent les poules ?	Le POULAILLER
2)	Chez le maringouin, est-ce la femelle, le mâle ou les deux qui nous piquent ?	La FEMELLE
3)	Lequel des animaux suivants est un rongeur : le serpent, l'ours, le tamia rayé ou le cheval ?	Le TAMIA rayé
4)	Quelle est la couleur de l'oiseau nommé *cardinal* ?	ROUGE

MATHÉMATIQUES :

	Question	Réponse
1)	Quel est le résultat de 150 – 15 ?	CENT TRENTE-CINQ
2)	Comment nomme-t-on la réponse d'une addition ?	* Le TOTAL * La SOMME
3)	En calcul, il y a quatre opérations fondamentales : la division, l'addition, la soustraction et... Nommez l'autre.	La MULTIPLICATION
4)	Si j'ai 38 billes et que je fais des groupes de 6, combien m'en restera-t-il pour commencer un autre groupe ?	DEUX

HARRY POTTER :

	Question	Réponse
1)	Nommez le collège où Harry Potter va à l'école de sorcellerie.	POUDLARD
2)	De qui Harry Potter a-t-il hérité ses pouvoirs magiques ?	De SES PARENTS
3)	Quelle forme a la cicatrice que Harry Potter porte sur le front ?	Un ÉCLAIR
4)	Quel est le nom de la chouette de Harry Potter ?	*HEDWIGE*

CONTES & LÉGENDES :

	Question	Réponse
1)	Quel objet *Mary Poppins* utilise-t-elle pour voler ?	Un PARAPLUIE
2)	À qui appartient le chien *Toto* dans *le Magicien d'Oz* ?	*DOROTHÉE*
3)	Quelle expression désigne *le pays* de *Peter Pan* ?	*Le PAYS IMAGINAIRE*
4)	Quel titre détient *Powhatan*, le père de *Pocahontas* ?	CHEF du village

DIVERS :

	Question	Réponse
1)	Comment appelle-t-on une table munie ou non de tiroirs dont on se sert pour écrire ?	* Un BUREAU * Un SECRÉTAIRE
2)	Comment désigne-t-on un meuble destiné à recevoir des livres ou des revues ?	Une BIBLIOTHÈQUE
3)	Quel mot composé sert à désigner les très hauts immeubles des grandes villes ?	Des GRATTE-CIEL
4)	Quelle friandise sucrée est fabriquée à partir du cacao ?	Le CHOCOLAT

BD & DESSINS ANIMÉS :

	Question	Réponse
1)	Comment se nomme le *Gros Minet* qui est toujours à la poursuite de *Tweety* ?	* *SYLVESTRE* * *SYLVESTER*
2)	Qui est le père de *Bart, Maggie* et *Lisa* ?	*OMER Simpson*
3)	Dans quel livre *Mowgli* vit-il avec les animaux, en pleine nature ?	*LE LIVRE DE LA JUNGLE*
4)	Quel chat aime beaucoup la lasagne ?	*GARFIELD*

VIE ANIMALE :

	Question	Réponse
1)	Le pis de la vache possède combien de trayons ?	QUATRE
2)	Comment nomme-t-on l'herbe séchée servant à nourrir les bestiaux ?	Le FOIN
3)	À quelle classe d'animaux appartient la fourmi ?	Les INSECTES
4)	Quel animal désigne-t-on comme *le meilleur ami de l'homme* ?	Le CHIEN

NOTIONS SCIENTIFIQUES :

	Question	Réponse
1)	Quel nom donne-t-on à une pièce de métal qui a la capacité d'attirer le fer et certains autres métaux venant se coller sur elle ?	Un AIMANT
2)	Lors d'un orage électrique, que percevons-nous en premier : l'éclair, le grondement ou le tonnerre ?	L'ÉCLAIR
3)	Quel mot signifie que l'eau pure n'a pas d'odeur ?	INODORE
4)	* Quel mot qualifie l'eau qui n'a pas de couleur ?	INCOLORE

SPORTS :

	Question	Réponse
1)	Comment nomme-t-on les nageoires de caoutchouc que portent aux pieds les plongeurs sous-marins ?	Des PALMES
2)	Au tennis, comment désigne-t-on la première balle frappée ?	Le SERVICE
3)	Comment nomme-t-on le sport qui se pratique avec une épée ?	L'ESCRIME
4)	Dans quel sport utilise-t-on une bouteille d'air comprimé ?	* PLONGÉE SOUS-MARINE * ALPINISME * SPÉLÉOLOGIE

DIVERS :

	Question	Réponse
1)	Combien de cordes possède un violon ?	QUATRE
2)	Nommez l'une des deux cartes de souhaits les plus répandues ?	* Carte de NOËL * Carte d'ANNIVERSAIRE
3)	Quel mot désigne les voies de communication souterraines de certaines villes où circulent des trains et leurs wagons ?	Le MÉTRO
4)	Comment désigne-t-on un siège à dossier, sans bras ?	Une CHAISE

BOTANIQUE :

	Question	Réponse
1)	La betterave pousse-t-elle dans un arbuste, dans la terre ou dans un arbre ?	Dans la TERRE
2)	Comment désigne-t-on le centre d'une pomme ?	Le COEUR de la pomme
3)	* Quelle forme peut-on observer dans le centre d'une pomme lorsqu'on la coupe en deux ?	Une ÉTOILE
4)	Comment nomme-t-on les feuilles rigides et pointues des conifères ?	Les AIGUILLES

MATHÉMATIQUES :

	Question	Réponse
1)	Dans le nombre 345, combien y a-t-il de centaines ?	TROIS
2)	Dites le cinquième nombre de la séquence suivante : 2 - 4 - 8 - 16 - ?	TRENTE-DEUX
3)	Combien faut-il de centimètres pour faire un mètre ?	CENT
4)	Nous avons 15 pommes et nous sommes 3. Chacun en mange 3. Combien en reste-t-il ?	SIX

HARRY POTTER :

	Question	Réponse
1)	Dans quel genre de bâtiment situez-vous le collège Poudlard ?	Un CHÂTEAU
2)	Citez le prénom de la grande amie de Harry Potter à Poudlard.	HERMIONE
3)	Comment les initiés désignent-ils les gens qui n'ont pas de pouvoirs magiques ?	Des MOLDUS
4)	Qui est la directrice-adjointe de Poudlard ?	Minerva McGONAGALL

VIE ANIMALE :

	Question	Réponse
1)	Comment nomme-t-on les longs poils poussant sur le cou du cheval ou du lion ?	La CRINIÈRE
2)	Dans quel groupe (embranchement) classe-t-on les animaux dépourvus de colonne vertébrale ?	Les INVERTÉBRÉS
3)	Quel mot désigne un groupe d'abeilles quittant une ruche pour aller fonder une nouvelle colonie ?	Un ESSAIM
4)	De quel animal dit-on qu'il retombe toujours sur ses pattes ?	Le CHAT

DIVERS :

	Question	Réponse
1)	Dans quelle danse classique peut-on voir des danseurs évoluer sur la pointe des pieds ?	Le BALLET
2)	Comment peut-on désigner le *blé d'Inde* en un seul mot ?	MAÏS
3)	Quel petit crochet de métal utilise-t-on pour pêcher le poisson ?	Un HAMEÇON
4)	Quel nom porte la lance servant à chasser les baleines ou attraper de gros poissons ?	Un HARPON

BIOLOGIE :

	Question	Réponse
1)	Quel mot désigne les poils situés au bas du front, juste au-dessus des yeux ?	Les SOURCILS
2)	Comment désigne-t-on la période de la vie entre 12 et 18 ans ?	L'ADOLESCENCE
3)	Quel problème dentaire entraîne la formation d'une cavité dans une dent ?	Une CARIE
4)	Nous avons 5 sens : l'odorat, le goût et... Nommez-en deux autres...	* L'OUÏE * La VUE * Le TOUCHER

BD & DESSINS ANIMÉS :

	Question	Réponse
1)	À qui appartient le chien *Rantanplan* ?	*LUCKY LUKE*
2)	Dans *Le Roi Lion*, quel est le lien de parenté entre le méchant *Scar* et *Simba* ?	ONCLE et NEVEU
3)	Quel personnage a comme phrase préférée : *Quoi de neuf docteur* ?	*BUGS BUNNY*
4)	Nommez le *Schtroumpf* le plus fort.	*COSTAUD*

JEUX :

	Question	Réponse
1)	Aux échecs, quelle pièce ne peut pas reculer ?	Le PION
2)	Dans quel jeu est-il facile de gagner si l'on achète beaucoup de terrains tout en construisant le plus d'immeubles possible ?	Au MONOPOLY
3)	Quel jouet est formé de deux disques que l'on fait monter et descendre le long d'une ficelle enroulée et qui revient dans la main ?	Le YO-YO
4)	Dans quel jeu de stratégie retrouve-t-on des sous-marins, des torpilleurs et des cuirassés ?	* La BATAILLE NAVALE * Le COMBAT NAVAL * (BATTLESHIP)

VOCABULAIRE :

	Question	Réponse
1)	Lequel des trois mots suivants vient en premier dans le dictionnaire : poulet – poule – poulette ?	POULE
2)	Quel mot commençant par « A » désigne la signature d'une personne célèbre ?	AUTOGRAPHE
3)	Quel mot commençant par « S » désigne le haut d'une montagne ?	SOMMET
4)	Commençant par « A », quel gros fruit comestible, en forme de poire, est de couleur violette ?	AUBERGINE

DIVERS :

	Question	Réponse
1)	Quel mois suit celui qui est le plus court de l'année ?	MARS
2)	D'où provient la matière première de ma ceinture en cuir ?	La PEAU d'un ANIMAL
3)	Quel nom désigne le support utilisé par le musicien pour tenir ses partitions ?	Le LUTRIN
4)	Dans quelle catégorie d'instruments de musique classe-t-on les timbales et les cymbales ?	À PERCUSSION

VIE ANIMALE :

	Question	Réponse
1)	Comment désigne-t-on les animaux qui vivent à la ferme ou à la maison ?	Animaux... * DOMESTIQUES * FAMILIERS
2)	* Quels sont ceux qui vivent à l'état libre, dans la nature ?	Animaux SAUVAGES
3)	Lequel des animaux suivants n'est pas un animal de la ferme : le cheval, le chevreuil, le porc ou le bœuf ?	Le CHEVREUIL
4)	Quel félin est l'animal terrestre le plus rapide du monde ?	Le GUÉPARD

MATHÉMATIQUES :

	Question	Réponse
1)	Combien y a-t-il de minutes dans un quart d'heure ?	QUINZE minutes
2)	Combien font : 5 fois 7 moins 25 ?	DIX
3)	Il y a quatre ordinateurs dans chacune des six classes du premier plancher. Combien y a-t-il d'ordinateurs au total ?	VINGT-QUATRE
4)	Si la température varie de 19°C à 12°C, quel est l'écart ?	7°C

GÉOGRAPHIE :

	Question	Réponse
1)	Si tu regardes face au Nord, quelle orientation est située en ligne droite derrière toi ?	Le SUD
2)	Comment appelle-t-on ces pièces de tissu portant les couleurs et l'emblème d'un pays ?	Des DRAPEAUX
3)	L'étoile polaire indique quel point cardinal ?	Le NORD
4)	Vers quel point cardinal le Soleil va-t-il se coucher ?	L'OUEST

HARRY POTTER :

	Question	Réponse
1)	Quel est le titre du premier livre de la série d'aventures de Harry Potter ?	*HARRY POTTER À L'ÉCOLE DES SORCIERS*
2)	* Complétez le titre du deuxième tome : *Harry Potter et la chambre des…*	*SECRETS*
3)	Quel est le sport préféré des sorciers ?	Le QUIDDITCH
4)	* Dans ce sport, les joueurs de Gryffondor portent des costumes de quelle couleur ?	ROUGE

DIVERS :

	Question	Réponse
1)	Durant quelle saison de l'année les fermiers sèment-ils pour obtenir des légumes ?	Au PRINTEMPS
2)	Comment désigne-t-on le grand réservoir du cultivateur utilisé pour entreposer les grains ?	Le SILO
3)	Comment se nomme le petit jardin servant à cultiver des légumes ?	Un POTAGER
4)	Quel mot désigne deux chanteurs ou deux musiciens qui interprètent une chanson ou une pièce ?	Un DUO

BOTANIQUE :

	Question	Réponse
1)	Quelle partie de la plante lui permet de respirer ?	Ses FEUILLES
2)	Donnez un autre nom pour désigner le *zeste* d'une orange.	* Sa PEAU * Sa PELURE * Son ÉCORCE
3)	Les samares, qui tournent comme des petites hélices en tombant, sont les fruits de quel arbre ?	* ÉRABLE * ORME * FRÊNE
4)	Comment désigne-t-on les plantes qui survivent à l'hiver : annuelles, vivaces ou saisonnières ?	VIVACES

VIE ANIMALE :

	Question	Réponse
1)	Quelle est la nourriture préférée des pingouins ?	Des POISSONS
2)	Quelles fourmis sont chargées de la construction et de l'entretien du nid ?	Les OUVRIÈRES
3)	Lequel des animaux suivants a les meilleures dents pour gruger : le lapin, le cheval, le castor ou le mouton ?	Le CASTOR
4)	Comment désigne-t-on le réseau de fils qu'une araignée tisse pour capturer des insectes ?	Une TOILE

NOTIONS SCIENTIFIQUES :

	Question	Réponse
1)	De quoi sont formés les icebergs et les banquises ?	* De GLACE * D'EAU GELÉE
2)	Sur quel astre les astronautes ont-ils réussi à poser le pied ?	La LUNE
3)	Quel est l'appareil qui nous permet d'enregistrer des émissions de télé et de visionner des films sur cassettes vidéo ?	Un MAGNÉTOSCOPE
4)	Par quel astre notre Terre est-elle réchauffée et éclairée ?	Le SOLEIL

BD & DESSINS ANIMÉS :

	Question	Réponse
1)	À qui appartient le chien *Snoopy* ?	*CHARLIE BROWN*
2)	Quelle sorte d'animal est *Bill*, compagnon de *Boule* ?	Un CHIEN
3)	*Roger Rabbit* représente quelle espèce d'animal ?	Un LAPIN
4)	*Obélix* taillait et livrait quelle sorte de pierres ?	Des MENHIRS

DIVERS :

	Question	Réponse
1)	Dans quelle catégorie classe-t-on les instruments de musique suivants : saxophone, hautbois, clarinette, piccolo et flûte ?	Instruments À VENT
2)	Quel fruit est le plus utilisé dans la fabrication du vin ?	Le RAISIN
3)	Comment nomme-t-on un arrangement décoratif de fleurs coupées ?	Un BOUQUET
4)	À quelle date joue-t-on des tours sur le thème du poisson ?	Le 1er AVRIL

SPORTS :

	Question	Réponse
1)	Lorsqu'une partie de tennis est jouée en double, combien y a-t-il de joueurs sur le terrain ?	QUATRE
2)	Quel sport, se pratiquant sur un immense terrain, nécessite l'utilisation d'une petite balle très dure ?	Le GOLF
3)	Avec quel métal est fabriquée la médaille remise à l'athlète qui arrive au second rang lors d'une compétition olympique ?	ARGENT
4)	Nommez un sport où il est permis de *dribbler*.	* HANDBALL * BASKET-BALL * SOCCER (football mondial)

MATHÉMATIQUES :

1) Combien de groupes de trois entrent dans douze ? | QUATRE

2) Donnez le résultat de : 0 X 5 = ? | ZÉRO

3) Si la température est de 28°C à midi et baisse de 12°C en soirée, quelle température fera-t-il ? | 16°C

4) Trois menuisiers montent la charpente d'une maison en quatre jours. En combien de temps six menuisiers peuvent-ils monter la même charpente ? | DEUX JOURS

VIE ANIMALE :

1) Quel autre nom peut porter le bœuf mâle ? | TAUREAU

2) Quel insecte parasite, vivant dans les cheveux des gens, faut-il éviter d'avoir ? | Le POU

3) * Comment nomme-t-on les œufs de ce parasite ? | Des LENTES

4) Comment nomme-t-on l'enveloppe dans laquelle la chenille se renferme pour se transformer en papillon ? | Un COCON

RELIGION :

1) Nommez le premier homme et la première femme, selon la Bible. | ADAM et ÈVE

2) Dans la Bible, qui fut sauvé du déluge en construisant une arche et en y faisant monter un couple d'animaux de chaque espèce ? | NOÉ

3) Dans quelle ville de Palestine Jésus est-il né ? | BETHLÉEM

4) Combien de Rois Mages sont venus adorer Jésus ? | TROIS

DIVERS :

	Question	Réponse
1)	Sous quel nom connaissons-nous mieux ces pantalons faits d'un coton très épais appelé *denim* ?	JEANS
2)	Quel dispositif, situé à l'arrière d'un navire ou d'un avion, permet de le diriger ?	Le GOUVERNAIL
3)	Comment appelle-t-on le mannequin que le jardinier place dans son potager pour effrayer les oiseaux ?	Un ÉPOUVANTAIL
4)	Quel titre portent les fils et les filles dont les parents sont roi ou reine ?	* PRINCE * PRINCESSE

HARRY POTTER :

	Question	Réponse
1)	Qui est le garde-chasse à Poudlard ?	HAGRID
2)	Par quel moyen, le jour de leur entrée à Poudlard, les nouveaux venus se verront-ils attribuer le choix de l'une ou l'autre des quatre maisons ?	Par le CHOIXPEAU
3)	Quel professeur haïssait Harry Potter dès la première semaine des cours à Poudlard ?	Le professeur ROGUE
4)	Quel cadeau est offert à Harry le jour de son 11e anniversaire par Rubeus Hagrid, le gardien des clés ?	Un GÂTEAU au chocolat

CONTES & LÉGENDES :

	Question	Réponse
1)	Quelle est la principale création de *Gepetto* ?	*PINOCCHIO*
2)	Nommez la petite héroïne, pas plus grande que trois centimètres, qui épousa un prince et devint *la Reine des Fleurs* ?	*POUCETTE*
3)	Avant de donner des jambes à *la Petite Sirène*, que lui avait enlevé la sorcière ?	La VOIX
4)	Dans *le Magicien d'Oz*, quel métier est exercé par le personnage en fer blanc ?	BÛCHERON

BIOLOGIE :

	Question	Réponse
1)	Quel mot définit la partie inférieure de l'oreille ?	Le LOBE
2)	Quel mot désigne la partie du squelette formant la tête ?	Le CRÂNE
3)	Quelle partie du bras est située entre le poignet et le coude ?	L'AVANT-BRAS
4)	Nommez les deux organes, situés de chaque côté du cœur, qui sont essentiels à la respiration.	Les POUMONS

VIE ANIMALE :

	Question	Réponse
1)	Quel est le plus gros mammifère à vivre sur notre planète ?	La BALEINE
2)	Le pingouin ne vole pas. Est-il : un mammifère, un poisson ou un oiseau ?	Un OISEAU
3)	Quel nom désigne la petite cellule de cire construite par les abeilles pour y déposer leur miel ?	ALVÉOLE
4)	Quel oiseau utilisait-on autrefois pour expédier des messages vers des destinations éloignées ?	Le PIGEON voyageur

DIVERS :

	Question	Réponse
1)	Comment désigne-t-on une voiture dont le toit peut être replié ou enlevé ?	Une DÉCAPOTABLE
2)	Quel nom désigne la variété de téléphone sans fil que l'on peut utiliser même en automobile ?	* Un CELLULAIRE * Un PORTABLE
3)	Comment se nomme le spectacle donné par deux ou plusieurs musiciens ?	Un CONCERT
4)	Quel poste occupe la personne qui fait visiter un lieu public en apportant des commentaires ?	Un GUIDE

BD & DESSINS ANIMÉS :

Parmi les *Pokémons* :

	Question	Réponse
1)	* Qui se cache dans l'eau lorsqu'il chasse ?	*WARTORTLE* (*Carabaffe*)
2)	* Qui ressemble à une chenille ?	*CATERPIE* (*Chenipan*)
3)	* Qui ralentit ses ennemis avec un jet de ficelle ?	* *WEEDLE* (*Aspicot*) * *CATERPIE* (*Chenipan*)
4)	* Qui a des moustaches empoisonnées ?	*NIDORAN*

MATHÉMATIQUES :

	Question	Réponse
1)	Combien de côtés possède un rectangle ?	QUATRE
2)	Si Catherine a 20 billes et les partage entre ses 4 amies, combien chacune en obtiendra-t-elle ?	CINQ
3)	Comment désigne-t-on un nombre entier qui ne se divise que par un et par lui-même ?	Un NOMBRE PREMIER
4)	Un angle aigu est un angle dont la mesure est inférieure à combien de degrés ?	90°

GÉOGRAPHIE :

	Question	Réponse
1)	Dans quel pays situez-vous les villes suivantes : Los Angeles, Chicago, Washington et New York ?	Les ÉTATS-UNIS d'Amérique
2)	Comment désigne-t-on la représentation d'un pays, d'un continent ou d'un territoire sur une carte ou dans un livre ?	Une CARTE GÉOGRAPHIQUE
3)	Sur une carte géographique, où situez-vous le *nord* ?	En HAUT
4)	Quelle langue parle-t-on en Grèce ?	Le GREC

JEUX :

Question	Réponse
1) Quelle pièce du jeu d'échecs ne se déplace qu'en diagonale ?	Le FOU
2) Dans la plupart des jeux de cartes, laquelle est la plus forte et possède la plus grande valeur ?	L'AS
3) Nommez les deux personnages masculins du jeu de cartes.	* ROI * VALET
4) Au jeu d'échecs, laquelle des pièces a la plus grande valeur ?	Le ROI

DIVERS :

Question	Réponse
1) Quel instrument le médecin utilise-t-il pour donner une injection ?	Une SERINGUE
2) Quelle forme d'énergie, utilisée dans nos maisons, est transportée au moyen de fils ?	L'ÉLECTRICITÉ
3) Quelle matière utilise-t-on pour fabriquer le bouchon d'une bouteille de vin ?	Du LIÈGE
4) Comment désigne-t-on les constructions à parois transparentes servant à cultiver les légumes ou les plantes ?	Des SERRES

VIE ANIMALE :

Question	Réponse
1) De quelle manière la grenouille attrape-t-elle les insectes ?	Avec sa LANGUE
2) Comment désigne-t-on les animaux dont les femelles nourrissent leurs petits avec leur lait ?	MAMMIFÈRES
3) Pour manger, qu'est-ce que les oiseaux n'ont pas et que la plupart des animaux possèdent ?	Des DENTS
4) Dans quel ordre de mammifères classez-vous le castor, le rat et l'écureuil ?	Les RONGEURS

NOTIONS SCIENTIFIQUES :

	Question	Réponse
1)	Dans notre système solaire, les planètes tournent autour : de la Terre, de la Lune ou du Soleil ?	Du SOLEIL
2)	Quel instrument permet d'observer ce qui est invisible à l'œil nu ?	Un MICROSCOPE
3)	Comment nomme-t-on les gouttelettes d'eau qui, le matin, se déposent sur le sol et les végétaux ?	La ROSÉE
4)	Lequel des quatre astres suivants tourne autour de la Terre : la Lune, le Soleil, Mars ou Vénus ?	La LUNE

HARRY POTTER :

	Question	Réponse
1)	Par rapport à Harry, quel lien de parenté ont ceux qui l'ont recueilli après qu'il soit devenu orphelin ?	ONCLE et TANTE
2)	* Dans quel genre de pièce dormait Harry lorsqu'il vivait chez ses parents adoptifs ?	Dans un PLACARD
3)	* Quel est le prénom du cousin gâté de Harry chez qui il vécut ses jeunes années ?	DUDLEY
4)	À la fin du premier livre *À l'école des sorciers*, où Harry va-t-il passer l'été qui vient ?	Chez... * son ONCLE et sa TANTE * les DURSLEY

SPORTS :

	Question	Réponse
1)	Je suis en train de *farter* mes skis. Quel produit j'utilise ?	De la CIRE
2)	Quel sport pratique-t-on en équilibre sur une planche portée par une vague ?	Le SURF
3)	Nommez la petite cheville que l'on utilise pour soulever la balle de golf au départ d'un trou.	Le TEE
4)	Quel sport consiste à faire des ascensions en montagne ?	* ALPINISME * ESCALADE

DIVERS :

	Question	Réponse
1)	Quel spécialiste nous vend les médicaments que nous a prescrits le médecin ?	Le PHARMACIEN
2)	Qui garde les moutons dans les champs ?	BERGER - ÈRE
3)	Nommez le bâtiment où les voyageurs se rendent pour prendre le train.	Une GARE
4)	Quel nom porte la baguette servant à faire vibrer les cordes de certains instruments, comme le violon ?	Un ARCHET

BOTANIQUE :

	Question	Réponse
1)	Dans quel arbre poussent les noix de coco ?	Le COCOTIER
2)	Quel mot désigne un assemblage de bananes retenues naturellement ensemble ?	* Une MAIN * Un RÉGIME
3)	Comment nomme-t-on la plante verte et courte qui forme un tapis sur le sol humide et les pierres ?	La MOUSSE
4)	Quel est l'autre nom français de la *cacahuète* ?	ARACHIDE

VIE ANIMALE :

	Question	Réponse
1)	De la personne qui répète ce qu'elle a entendu sans bien en comprendre le sens, on dit qu'elle répète comme… quel oiseau ?	Comme un PERROQUET
2)	Comment désigne-t-on un mouton nouveau-né ?	Un AGNEAU
3)	Quelle est la nourriture préférée des grenouilles ?	Les INSECTES
4)	Quel nom porte l'aiguille de la guêpe ?	* Le DARD * L'AIGUILLON

MATHÉMATIQUES :

	Question	Réponse
1)	Si j'enlève une douzaine à 51, que me reste-t-il ?	TRENTE-NEUF
2)	Une minute compte combien de secondes ?	SOIXANTE
3)	Laquelle des figures géométriques suivantes possède trois dimensions : le carré, le triangle, le cube ou le losange ?	Le CUBE
4)	Comment nomme-t-on le résultat d'une division ?	Le QUOTIENT

DIVERS :

	Question	Réponse
1)	Comment les Inuits nomment-ils leurs habitations faites de blocs de neige et de glace ?	Des IGLOOS
2)	Quel mot signifie qu'un être ou un objet vient d'une autre planète que la nôtre ?	EXTRA-TERRESTRE
3)	À quoi sert le *Petit Larousse* ?	* CHERCHER DES MOTS * DICTIONNAIRE
4)	En musique, nommez l'un des principaux instruments à cordes et archet.	* VIOLON * VIOLONCELLE * CONTREBASSE

BD & DESSINS ANIMÉS :

	Question	Réponse
1)	Nommez le chat qui joue du piano dans *Les Aristochats*.	*BERLIOZ*
2)	Nommez l'animal qui tente toujours de rattraper *Road Runner*.	Le *COYOTE*
3)	Dans les aventures de *Tintin*, quels détectives apparaissent pour la première fois dans *Les cigares du Pharaon* ?	*DUPOND* & DUPONT
4)	Nommez le grand ami de *Yogi* l'ours.	*BOUBOU*

HISTOIRE :

Question	Réponse
1) Dans quel genre d'habitation vivaient les Amérindiens à l'arrivée des Blancs ?	* Une TENTE * Un WIGWAM * Un TIPI * Une MAISON LONGUE
2) Comment désigne-t-on l'habit métallique que les chevaliers du Moyen Âge portaient en combattant ?	Une ARMURE
3) Lors des fêtes, autour de quoi les Amérindiens dansaient-ils ?	Un FEU
4) Quelle sorte de matériel les Amérindiens utilisaient-ils pour confectionner leurs vêtements ?	Du CUIR (Des peaux d'animaux)

CONTES & LÉGENDES :

Question	Réponse
1) Dans *Blanche-Neige*, lequel des sept nains porte un nom commençant par « T » ?	*TIMIDE*
2) À qui *Robin des Bois* volait-il de l'argent ?	Aux RICHES
3) Dans *le Livre de la Jungle*, comment se nomme l'ours ?	*BALOO*
4) Dans le conte *la Belle et la Bête*, combien de sœurs avait la Belle ?	* DEUX (roman) * AUCUNE (version film de Disney)

DIVERS :

Question	Réponse
1) Comment appelle-t-on l'édifice où l'on peut aller voir une pièce jouée par des acteurs ?	Un THÉÂTRE
2) Le pigeon et le pinson sont-ils des mammifères, des reptiles, des poissons ou des oiseaux ?	Des OISEAUX
3) Quel mot désigne un fabricant de savon ?	Un SAVONNIER
4) Quelle boisson peut-on préparer avec de l'eau sucrée et des citrons ?	De la LIMONADE

VIE ANIMALE :

Question	Réponse
1) Comment désigne-t-on les animaux qui se nourrissent d'insectes ?	INSECTIVORES
2) Selon le dicton, quel animal aurait une mémoire exceptionnelle ?	L'ÉLÉPHANT
3) Quelle caractéristique possèdent les pattes du castor et du canard ?	Elles sont PALMÉES
4) Dans quel milieu naturel vit l'hippocampe ?	* La MER * Milieu MARIN * EAU * AQUATIQUE…

NOTIONS SCIENTIFIQUES :

Question	Réponse
1) Quel est ce genre de nuage, situé au niveau du sol, qui nous empêche de distinguer les choses au loin ?	Le BROUILLARD
2) Quel mot désigne les graduations d'un thermomètre ?	DEGRÉS
3) Quel satellite de la Terre nous éclaire la nuit ?	La LUNE
4) Nommez deux façons de capter des émissions provenant d'une station de télévision.	* CÂBLE * ANTENNE * SATELLITE * SOUCOUPE

HARRY POTTER :

Question	Réponse
1) À Poudlard, quel est le nom du gardien des clés ?	HAGRID
2) Quel est le nom du sorcier dont tout le monde a peur et qui est surnommé *Tu-Sais-Qui* ?	VOLDEMORT
3) Quelle sorte de cape Harry Potter reçut-il dès sa première année à Poudlard ?	Une cape d'INVISIBILITÉ
4) Quel redoutable personnage a tué les parents de Harry Potter ?	VOLDEMORT

SPORTS :

	Question	Réponse
1)	Qu'est-ce qui sépare les deux équipes au volley-ball (ballon-volant) ?	Le FILET
2)	Quel style de nage porte le nom d'un insecte ?	PAPILLON
3)	Quel sport se joue dans une piscine avec un ballon ?	Le WATER-POLO
4)	Au soccer (football mondial), combien chaque équipe a-t-elle de joueurs sur le terrain ?	ONZE

DIVERS :

	Question	Réponse
1)	Quel nom donne-t-on au lit étroit dont on se sert pour transporter un blessé ?	* Une CIVIÈRE * Un BRANCARD
2)	À quel pays associez-vous les *pizzas* ?	L'ITALIE
3)	Quel mot désigne une personne qui parle deux langues ?	BILINGUE
4)	Sur la boussole, les quatre points cardinaux sont : l'est, l'ouest et... Nommez les deux autres.	* SUD * NORD

MATHÉMATIQUES :

	Question	Réponse
1)	Quel nom donne-t-on à une figure qui a trois dimensions ?	Un SOLIDE
2)	Comment appelle-t-on la réponse de la multiplication ?	Le PRODUIT
3)	Quelle est la valeur de la 4e donnée dans la série suivante : 5 – 3 – 6 - ?	QUATRE
4)	Combien y a-t-il de dizaines dans 237 ?	VINGT-TROIS

BIOLOGIE :

	Question	Réponse
1)	Quel nom donne-t-on à l'ensemble des os du corps humain ?	Le SQUELETTE
2)	Quel doigt se trouve entre l'annulaire et l'index ?	Le MAJEUR
3)	Quel organe de notre corps pompe le sang pour le faire circuler à travers notre organisme ?	Le COEUR
4)	Comment nomme-t-on la partie arrière de la jambe, au-dessous du genou ?	Le MOLLET

GÉOGRAPHIE :

	Question	Réponse
1)	À quel endroit sur Terre fait-il le plus froid ?	Au PÔLE SUD
2)	Sur une carte géographique, dans quelle direction situez-vous l'Ouest ?	À GAUCHE
3)	Comment désigne-t-on les autochtones du Grand Nord canadien ?	* INUITS * ESQUIMAUX
4)	Comment nomme-t-on le chapeau à grand bord des Mexicains ?	SOMBRERO

BD & DESSINS ANIMÉS :

Parmi les *Pokémons* :

	Question	Réponse
1)	* Qui a le plus long corps ?	*ONIX*
2)	* Qui utilise la massue et le boomerang avec grande précision ?	*CUBONE* (*Osselait*)
3)	* Qui a deux têtes ?	*DODUO*
4)	* Qui lit dans les pensées ?	*ABRA*

DIVERS :

	Question	Réponse
1)	Quel mot désigne une période de 100 ans ?	Un SIÈCLE
2)	De quelle substance une chandelle est-elle généralement fabriquée ?	De CIRE
3)	Quel est votre lien de parenté avec la femme du frère de votre père ?	Une TANTE
4)	Dans quel domaine Mozart s'est-il illustré ?	La MUSIQUE

VIE ANIMALE :

	Question	Réponse
1)	De quelle façon un caméléon de 17 cm peut-il, sans bouger, attraper une mouche à 30 centimètres ?	Avec sa LANGUE
2)	Les lapins sont-ils : carnivores, herbivores ou omnivores (herbivores et carnivores) ?	HERBIVORES
3)	Quelle est la femelle du canard ?	La CANE
4)	* Comment épelle-t-on ce mot ?	C-A-N-E

JEUX :

	Question	Réponse
1)	Nommez les pièces du jeu d'échecs qui sont placées dans les quatre coins au début de la partie.	Les TOURS
2)	Dans quel jeu utilise-t-on des petites pièces rectangulaires, divisées en deux parties portant chacune de zéro à six points ?	Les DOMINOS
3)	Dans un jeu de cartes, combien en compte-t-on pour chacune des quatre formes représentées ?	TREIZE
4)	Au jeu d'échecs, quel mot ajoute-t-on lorsque le roi est mis en échec et ne peut se dégager ?	MAT

BOTANIQUE :

Question	Réponse
1) De quelle manière la plupart des cactus se protègent-ils d'attaques extérieures, comme celles des oiseaux ?	Par… * Leurs ÉPINES * Leurs PIQUANTS
2) Quel mot commençant par « F » désigne les arbres dont les feuilles tombent en automne ?	FEUILLUS
3) Sous quel nom désigne-t-on les cornichons si on les laisse grossir avant de les cueillir ?	Des CONCOMBRES
4) Quel mot désigne les petites lignes bosselées sur les feuilles des arbres ?	NERVURES

SPORTS :

Question	Réponse
1) Dans certains sports olympiques, à combien d'essais a droit chaque concurrent lors d'une compétition ?	TROIS
2) Quelle longue pièce de bois, aplatie et élargie à une extrémité, utilise-t-on pour faire du canotage ?	Un AVIRON
3) Dans quel sport deux ou quatre joueurs se retournent-ils la balle de chaque côté d'un filet ?	Au TENNIS
4) Dans quel sport peut-on frapper le ballon avec sa tête ?	* Le SOCCER * Le FOOTBALL (mondial) * Le BALLON-VOLANT de plage

DIVERS :

Question	Réponse
1) Normalement, une fourchette de table a combien de dents ?	QUATRE
2) Que suis-je ? - Je suis un os du squelette des poissons. Je suis aussi la ligne de rencontre de deux faces d'un solide.	ARÊTE
3) Complétez le dicton suivant : « Jamais deux sans… » ?	TROIS
4) Quel mot commençant par « M » est synonyme de *remède* ?	MÉDICAMENT

HARRY POTTER :

	Question	Réponse
1)	Comment livre-t-on le courrier au collège Poudlard ?	Par des HIBOUX
2)	Quel est le nom du *seigneur des Ténèbres* ?	Lord VOLDEMORT
3)	À laquelle des 4 maisons de Poudlard Harry Potter est-il rattaché dès le jour de la rentrée ?	GRYFFONDOR
4)	Qui est responsable de la cicatrice en forme d'éclair que Harry Potter a sur son front ?	VOLDEMORT

MATHÉMATIQUES :

	Question	Réponse
1)	Combien y a-t-il d'œufs dans deux douzaines ?	VINGT-QUATRE
2)	Quels sont les facteurs de huit ?	1 * 2 * 4 * 8
3)	Dans une fraction, comment désigne-t-on le chiffre du haut ?	Le NUMÉRATEUR
4)	* Comment désigne-t-on le chiffre du bas ?	Le DÉNOMINATEUR

VIE ANIMALE :

	Question	Réponse
1)	À quel animal insère-t-on parfois un anneau au travers de son museau ?	* Un BOEUF * Un TAUREAU
2)	Quel nom porte le cochon domestique mâle servant à la reproduction ?	Le VERRAT
3)	* Quel est celui de la femelle ?	La TRUIE
4)	Que retire l'abeille des fleurs ?	* Du NECTAR * Du POLLEN

BD & DESSINS ANIMÉS :

	Question	Réponse
1)	Comment se nomme le valet du capitaine *Haddock* ?	*NESTOR*
2)	* Quel est celui de *Batman* ?	*ALFRED*
3)	Quelles sont les deux couleurs du costume d'*Obélix* ?	* BLEU * BLANC
4)	Quel genre d'animal est *Sylvestre* (*Grosminet*) dans les aventures de *Bugs Bunny* ?	Un CHAT

DIVERS :

	Question	Réponse
1)	Quel mot commençant par « C » est synonyme de *bougie* ?	* CHANDELLE * CIERGE
2)	Comment nomme-t-on le fauteuil d'un roi ?	Un TRÔNE
3)	Quelles poupées ou figurines actionne-t-on au moyen de ficelles ?	Des MARIONNETTES
4)	Quel ouvrier répare les problèmes de tuyaux à eau dans une maison ?	Un PLOMBIER

NOTIONS SCIENTIFIQUES :

	Question	Réponse
1)	Combien la Terre possède-t-elle de satellite(s) naturel(s) ?	UN (la Lune)
2)	À quels êtres microscopiques est due la transmission de plusieurs maladies comme la coqueluche, la tuberculose ou la peste ?	* Des MICROBES * Des BACTÉRIES
3)	Comment se nomme l'appareil qui permet d'augmenter l'intensité des sons ?	AMPLIFICATEUR
4)	Quelle ressource ou matière utilise-t-on pour fabriquer du papier ?	* Du BOIS * Des ARBRES * Des VÉGÉTAUX

QUE SUIS-JE ? :

A) Je suis une délicieuse pâtisserie de forme allongée. | Un ÉCLAIR

B) Faites attention à vos oreilles si vous me voyez.

C) Comme le dit l'expression, je suis très rapide. Il y a même une sorte de fermeture qui porte mon nom.

D) J'apparais au cours d'un orage.

QUE SUIS-JE ? :

A) Je déteste avoir chaud. | De la GLACE

B) Si vous marchez sur moi, je peux vous faire tomber.

C) Je suis bien utile quand vous avez de la fièvre.

D) Je refroidis volontiers votre boisson.

QUE SUIS-JE ? :

A) La vie commence avec moi. | Un OEUF

B) Je suis incapable de me tenir debout tout seul.

C) Dur ou mollet, vous pouvez me déguster.

D) Je suis bien au chaud dans une coquille.

VIE ANIMALE :

	Question	Réponse
1)	Sur quel continent irez-vous pour voir des hippopotames en liberté, à l'état sauvage ?	En AFRIQUE
2)	L'hyène est un félin qui sort à quelle période de la journée ?	La NUIT
3)	Combien pèse un baleineau à sa naissance : une tonne, deux tonnes, trois tonnes ou quatre tonnes ?	DEUX tonnes
4)	À quel insecte ressemble beaucoup le criquet ?	La SAUTERELLE

DIVERS :

	Question	Réponse
1)	Quels animaux sont combattus dans une corrida ?	Des TAUREAUX
2)	En musique, quel signe d'altération hausse la note qui suit d'un demi-ton ?	Le DIÈSE
3)	Complétez le proverbe suivant : « La nuit, tous les chats sont... » ?	GRIS
4)	Au théâtre, comment nomme-t-on la personne dissimulée qui est chargée d'aider les acteurs ayant oublié une partie de leur texte ?	Un SOUFFLEUR

HARRY POTTER :

	Question	Réponse
1)	Qui a créé le personnage de *Harry Potter* ?	Joanne Kathleen ROWLING
2)	* Dans quel pays est née cette auteure, en 1965 ?	En ANGLETERRE (Grande-Bretagne)
3)	Sur quelle rue sont situés les magasins dans lesquels les sorciers et les mages font leurs achats ?	CHEMIN DE TRAVERSE
4)	Citez le prénom de l'oncle ou de la tante qui élevèrent Harry jusqu'à l'âge de 11 ans.	* VERNON * PÉTUNIA

NOTIONS SCIENTIFIQUES :

Question	Réponse
1) Quelle fut la première utilité de la poudre à canon, à l'époque de sa découverte par les Chinois ?	Les FEUX D'ARTIFICE
2) Si l'on voyage dans l'espace, de quelle couleur voit-on le firmament ?	NOIR
3) Quelle partie de la lampe de poche produit l'électricité ?	La PILE
4) Le pétrole constitue une source d'énergie non renouvelable. Nommez l'une des principales énergies naturelles renouvelables.	* EAU * GEYSER * SOLEIL * MARÉE * VENT * HYDROGÈNE...

GÉOGRAPHIE :

Question	Réponse
1) Quel nom désigne la résidence du Président des États-Unis ?	La MAISON BLANCHE
2) Le nom de quel peuple autochtone du Canada signifie : « mangeur de viande crue » ?	ESQUIMAU
3) Quelle est la plus haute montagne du monde ?	Le mont EVEREST
4) Quel est le plus grand désert du monde ?	Le SAHARA

MATHÉMATIQUES :

Question	Réponse
1) Quelle lettre utilisaient les Romains pour représenter le nombre « 10 » ?	« X »
2) Quelle ligne, passant par le centre d'un cercle, le divise en deux parties égales ?	Le DIAMÈTRE
3) Si le double d'un nombre égale 2/5, quel est ce nombre ?	1/5
4) Comment désigne-t-on la ligne qui joint le centre d'un cercle à la circonférence ?	Le RAYON

DIVERS :

1) Quel signe du zodiaque est représenté par un crabe ? | Le CANCER

2) En musique, laquelle des trois clés est la plus utilisée ? | La clé de SOL

3) Comment nomme-t-on l'outil en acier rugueux servant à user un autre métal par frottement ? | Une LIME

4) Que fait l'apiculteur ? | IL ÉLÈVE DES ABEILLES

BIOLOGIE :

1) Quel organe de notre corps contrôle toutes nos facultés ? | Notre CERVEAU

2) Comment nomme-t-on le passage de l'enfance à l'adolescence. | La PUBERTÉ

3) Chez l'humain, l'*embryon* est désigné sous le nom de *fœtus* après 1 mois, 3 mois ou 5 mois ? | TROIS mois

4) Lesquelles de nos dents nous permettent de mâcher ? | Nos MOLAIRES

VIE ANIMALE :

1) À quel animal domestique ressemble le sanglier ? | * Au PORC
* Au COCHON

2) De quoi sont constituées les défenses du morse ? | D'IVOIRE

3) Nommez le bâtiment où vit le cheval domestique. | L'ÉCURIE

4) Comment désigne-t-on les plaques osseuses qui recouvrent la peau de certains poissons ? | Des ÉCAILLES

HARRY POTTER :

	Question	Réponse
1)	Qu'enseigne-t-on au Collège Poudlard ?	La SORCELLERIE
2)	Pendant les 10 premières années vécues par Harry chez sa tante et son oncle, ceux-ci lui firent croire que ses parents étaient morts de quelle façon ?	Dans un ACCIDENT DE VOITURE
3)	Le jour de son anniversaire, Harry apprend qu'il est un sorcier. Quel âge vient-il d'avoir ?	ONZE ANS
4)	Comment se nomme le lieu où les sorciers vont jouer au Quidditch ?	Le STADE DE QUIDDITCH

SPORTS :

	Question	Réponse
1)	Comment appelle-t-on le véhicule qui sert à polir mécaniquement la glace des patinoires ?	SURFACEUSE (Zamboni)
2)	En gymnastique, quelle note maximale un athlète olympique peut-il obtenir d'un juge ?	DIX
3)	Quel mot désigne le transport d'une embarcation entre deux parties d'un cours d'eau, lorsqu'il y a des obstacles à éviter ?	Un PORTAGE
4)	Nommez l'instrument en forme de lance, employé en athlétisme, qui doit être projeté le plus loin possible.	Le JAVELOT

EXPRESSIONS :

Complétez les expressions suivantes, signifiant :

	Question	Réponse
1)	Être furieux ou désespéré. On dit : « S'arracher les… » ?	CHEVEUX
2)	Avoir très faim. On dit : « Avoir l'estomac dans… » ?	LES TALONS
3)	Manger de la viande coriace. On dit : « Manger de la semelle de… » ?	BOTTE
4)	Se faire des compliments. On dit : « Se lancer des… » ?	FLEURS

DIVERS :

	Question	Réponse
1)	Complétez le proverbe suivant : « Chat échaudé craint… » ?	L'EAU FROIDE
2)	En musique, une noire vaut combien de croches ?	DEUX
3)	Quel est ton lien de parenté avec la fille de ta tante ?	Ma COUSINE
4)	Deux noms composés servent à désigner un policier : *agent de police* et *agent de* … Complétez.	Agent de LA PAIX

CONTES & LÉGENDES :

	Question	Réponse
1)	Avec quel instrument la *Belle au bois dormant* s'est-elle piquée avant de s'endormir pour cent ans ?	Un FUSEAU
2)	Dans les contes, les sorcières préparent fréquemment des mixtures liquides qui peuvent être néfastes ou bénéfiques. Quelle expression désigne ces préparations ?	Des POTIONS MAGIQUES
3)	Dans le conte *le Chat Botté* de Charles Perrault, quel est le nom du faux marquis qui obtint femme, richesse et royaume ?	Le marquis de *CARABAS*
4)	Plusieurs contes parlant de jeunes filles qui vont danser en cachette la nuit, présentent la même preuve que ces danses ont eu lieu… Quelle est cette preuve ?	Les SOULIERS USÉS des jeunes filles

NOTIONS SCIENTIFIQUES :

	Question	Réponse
1)	Quelle énergie naturelle a-t-on utilisée pendant des siècles pour faire avancer les navires, avant l'invention des moteurs à vapeur ?	Le VENT
2)	Quel mot, commençant par « D », désigne l'unité de mesure de l'intensité du son ?	Le DÉCIBEL
3)	Un arc-en-ciel possède une infinité de couleurs, mais combien d'entre elles sont visibles ?	SEPT
4)	Nommez l'un des trois combustibles fossiles les plus utilisés comme source d'énergie.	* GAZ NATUREL * PÉTROLE * CHARBON

VIE ANIMALE :

1) De quelles espèces d'animaux dit-on qu'ils sont apprivoisés ? | * DOMESTIQUES * FAMILIERS

2) Comment désigne-t-on l'ensemble des vertébrés qui vivent aussi bien à l'air que dans l'eau ? | Les AMPHIBIENS

3) Poulet est à coq ce que poulain est à... quel animal ? | CHEVAL

4) Quel mot désigne les griffes des aigles avec lesquelles ils attrapent et tuent leurs proies ? | Des SERRES

HARRY POTTER :

1) Il y a 4 maisons à Poudlard : Serpentard, Gryffondor et... Nommez l'une des deux autres. | * SERDAIGLE * POUFSOUFFLE

2) Qui est *Miss Teigne* ? | Une CHATTE (à Argus Rusard)

3) Dans *Harry Potter à l'école des sorciers*, qui a fait entrer le troll dans l'école ? | Le professeur QUIRRELL

4) Comment se nomme la propriétaire du magasin où les mages et les sorciers se procurent leurs vêtements ? | Madame GUIPURE

DIVERS :

1) Que veut dire l'expression espagnole *Muchas gracias* ? | MERCI BEAUCOUP

2) Complétez le dicton suivant : « Une pomme par jour éloigne... » ? | LE MÉDECIN

3) Comment désigne-t-on les cadavres qui ont été embaumés il y a plusieurs siècles, comme on le faisait dans l'Égypte ancienne ? | Des MOMIES

4) Quelle langue écrite est la plus compliquée des 3 suivantes : le français, le chinois ou l'anglais ? | Le CHINOIS

GÉOGRAPHIE :

	Question	Réponse
1)	Quel climat règne sur la Terre à l'équateur : froid, tempéré ou chaud ?	CHAUD
2)	Quel continent bénéficie généralement de la température la plus élevée, donc du climat le plus chaud ?	L'AFRIQUE
3)	Comment désigne-t-on un cours d'eau qui se jette dans l'océan ?	Un FLEUVE
4)	L'Antarctique est-il situé au pôle Nord, au pôle Sud ou en Australie ?	Au PÔLE SUD

BOTANIQUE :

	Question	Réponse
1)	Nommez la plante à fleurs jaunes dont les graines servent à la fabrication d'un condiment fréquemment utilisé en cuisine.	La MOUTARDE
2)	Quelles plantes, riches en minéraux, poussent dans la mer ?	Les ALGUES
3)	Quel est le nom véritable du *melon d'eau* ?	La PASTÈQUE
4)	Quelle plante aquatique pousse dans les eaux tranquilles, possède des feuilles flottantes et produit des fleurs ?	Le NÉNUPHAR

DIVERS :

	Question	Réponse
1)	Comment nomme-t-on l'étage supérieur de certaines maisons, servant parfois de remise ?	Le GRENIER
2)	La petite boule servant de but aux joueurs de pétanque porte le même nom que le petit d'un animal de la ferme… Quel est-il ?	Le COCHONNET
3)	Quel mot désigne une *brique* d'or ou une *brique* d'argent ?	Un LINGOT
4)	En musique, quelle fibre naturelle utilise-t-on pour fabriquer les cordes (la mèche) de l'archet ?	Du CRIN de cheval

BD & DESSINS ANIMÉS :

	Question	Réponse
1)	Quel est le nom du chien de *l'inspecteur Gadget* ?	*FINOT*
2)	Quel célèbre cinéaste américain se spécialisa, à partir des années 1930, dans les dessins animés de contes célèbres ?	Walt DISNEY
3)	Lorsque le *barde Assurancetourix* chante, que font les gens avec du persil ?	Se BOUCHENT LES OREILLES
4)	Quel est le principal handicap physique du *professeur Tournesol* ?	Il est SOURD

VIE ANIMALE :

	Question	Réponse
1)	Combien existe-t-il d'espèces de papillons dans le monde : 20 000 – 200 000 ou 2 000 000 ?	DEUX CENT MILLE
2)	Comment désigne-t-on l'état d'engourdissement dans lequel demeurent certains animaux durant la saison froide ?	HIBERNATION
3)	Quel mot désigne les oiseaux qui se nourrissent de grains ?	GRANIVORES
4)	Quel oiseau *roucoule* ?	* Le PIGEON * La COLOMBE * La TOURTERELLE

HARRY POTTER :

	Question	Réponse
1)	Quel mystère Harry Potter tente-t-il de percer durant sa 2e année à Poudlard ?	Le mystère de la CHAMBRE DES SECRETS
2)	Quels outils fabrique l'entreprise de l'oncle Vernon Dursley, la *Grunnings* ?	Des PERCEUSES
3)	Nommez le café (pub) qui donne accès à la rue des boutiques réservées aux sorciers.	*LE CHAUDRON BAVEUR*
4)	Complétez le titre du 4e tome de la série : « Harry Potter et la coupe… » ?	*DE FEU*

LITTÉRATURE :

	Question	Réponse
1)	Quel animal est apprivoisé par *le Petit Prince* de Saint-Exupéry ?	Un RENARD
2)	Dans *les Petites Filles Modèles* de la Comtesse de Ségur, comment se nomme la sœur de Camille ?	MADELEINE
3)	Dans quel livre retrouve-t-on les mots d'une langue, classés par ordre alphabétique avec leur définition ?	Un DICTIONNAIRE
4)	Quel écrivain nous a fait explorer le centre de la Terre, visiter les cannibales d'Afrique, voyager sur la Lune, faire le tour du monde en 80 jours et parcourir 20 000 lieues sous les mers ?	Jules VERNE

NOTIONS SCIENTIFIQUES :

	Question	Réponse
1)	Pourquoi ne pourrait-on pas respirer si nous voyagions dans l'espace ?	* PAS D'AIR * C'est le VIDE
2)	Quelle couche de l'atmosphère absorbe la quasi-totalité des rayons ultraviolets du Soleil ?	La couche d'OZONE
3)	Qu'est-il nécessaire à une pile solaire pour produire de l'électricité ?	* Le SOLEIL * De la LUMIÈRE
4)	Nommez l'un des deux types de moteurs qui sont utilisés de nos jours pour actionner les locomotives.	* ÉLECTRIQUE * À ESSENCE (Carburant diesel)

DIVERS :

	Question	Réponse
1)	Dans son métier, quel animal est utilisé par le jockey ?	Un CHEVAL
2)	Comment désigne-t-on la fenêtre, habituellement circulaire, pratiquée dans la coque d'un navire ?	Un HUBLOT
3)	Quelle sorte de terre est à la base de la fabrication de la poterie ?	* De l'ARGILE * De la GLAISE
4)	Quel mot désigne une écriture en lettres attachées, tracée sans lever le crayon ?	Écriture CURSIVE

ASTRONOMIE :

	Question	Réponse
1)	Lorsqu'une comète passe près de la Terre, que pouvons-nous observer d'elle à l'œil nu ?	Sa QUEUE lumineuse
2)	Laquelle des trois planètes suivantes est la plus éloignée du Soleil : Vénus, la Terre ou Mars ?	MARS
3)	Quel instrument, inventé il y a 400 ans, permet de grossir les astres et de les observer ?	Le TÉLESCOPE
4)	Comment désigne-t-on la disparition temporaire d'un astre, causée par son passage dans l'ombre d'un autre astre ?	Une ÉCLIPSE

OLYMPISME :

	Question	Réponse
1)	Lors de la cérémonie d'ouverture des Jeux olympiques, on libère des centaines d'oiseaux comme symbole de paix. Quelle variété d'oiseau utilise-t-on ?	Des COLOMBES
2)	Quel nom porte la plus longue course à pied disputée durant les Jeux olympiques d'été ?	Le MARATHON (42,19 Km)
3)	En mètres, quelle est la longueur d'une piscine olympique ?	CINQUANTE mètres
4)	Sur le fond blanc du drapeau olympique, cinq anneaux entrelacés représentent les cinq continents. Lesquels sont symbolisés par les anneaux noir et jaune ?	* AFRIQUE * ASIE

VIE ANIMALE :

	Question	Réponse
1)	L'éléphant est-il omnivore, herbivore ou carnivore ?	HERBIVORE
2)	Combien de pattes un crabe possède-t-il ?	DIX
3)	Au printemps, quel animal vivant dans les étangs gonfle ses sacs vocaux pour émettre un son attirant le sexe opposé ?	La GRENOUILLE
4)	* Quel mot les Amérindiens utilisaient-ils pour désigner cet animal ?	OUAOUARON

HARRY POTTER :

	Question	Réponse
1)	Quel est le nom de la banque réservée aux sorciers ?	GRINGOTTS
2)	* De quelle façon se déplace-t-on dans cette banque ?	Dans des WAGONNETS
3)	Comment nomme-t-on un sorcier qui a la faculté de se métamorphoser en animal ?	Un ANIMAGUS
4)	En quel animal se transforme Sirius Black ?	En CHIEN

GÉOGRAPHIE :

	Question	Réponse
1)	Comment désigne-t-on un cours d'eau qui se jette dans un fleuve ?	Une RIVIÈRE
2)	Quelle ville américaine est surnommée *la Ville du Cinéma* ?	HOLLYWOOD
3)	En décembre 2001, après onze années de travaux de renforcement et de redressement, quelle célèbre tour italienne ouvre-t-on à nouveau au public ?	La tour de PISE
4)	Nommez les trois pays qui composent l'Amérique du Nord.	* CANADA * ÉTATS-UNIS * MEXIQUE

MATHÉMATIQUES :

	Question	Réponse
1)	Comment désigne-t-on une droite qui est tracée en biais, qui s'éloigne de la verticale ?	Une OBLIQUE
2)	Comment écrit-on 512 en chiffres romains ?	DXII
3)	Calcul mental : À 10 moins 7, enlevez 3 et multipliez par trois… égale ?	ZÉRO
4)	Combien y a-t-il de quadrants dans un plan cartésien ?	QUATRE

DIVERS :

	Question	Réponse
1)	Comment désigne-t-on une chanson douce pour endormir les enfants ?	Une BERCEUSE
2)	Lorsque l'on mesure en mois, en jours ou en heures, que mesure-t-on ?	Le TEMPS
3)	Comment nomme-t-on le mouvement de la mer qui s'avance et se retire ?	La MARÉE
4)	Une guitare régulière compte combien de cordes ?	SIX

EXPRESSIONS :

Avec des noms d'animaux comme réponses :

	Question	Réponse
1)	Avoir les cheveux frisés et crépus. On dit : « Être frisé comme un… » ?	MOUTON
2)	Être sans vêtements. On dit : « Être nu comme un… » ?	VER
3)	Se terminer sans conclusion satisfaisante. On dit : « Finir en queue de… » ?	POISSON
4)	Être entêté, même borné. On dit : « Avoir une tête de… » ?	* MULE * COCHON

BIOLOGIE :

	Question	Réponse
1)	Quelle est la couleur des globules qui transportent l'oxygène dans notre sang ?	ROUGE
2)	Quelle expression désigne les *dents temporaires* chez l'enfant ?	DENTS DE LAIT
3)	* Combien un enfant en possède-t-il ?	VINGT
4)	* Comment désigne-t-on les dents qui apparaissent à partir de 7 ou 8 ans ?	Les DENTS PERMANENTES

SPORTS :

	Question	Réponse
1)	En athlétisme, dans les épreuves de lancer, quel objet peut atteindre les plus grandes distances ?	Le JAVELOT
2)	Sur quel continent a-t-on commencé à pratiquer le yoga, il y a plusieurs siècles ?	En ASIE
3)	Quel équipement sportif se compose de trois parties : le talon, le patin et la spatule ?	Le SKI
4)	Aux Olympiques, comment nomme-t-on le traîneau de compétition à deux ou quatre places, muni d'un volant de direction ?	BOBSLEIGH

HARRY POTTER :

	Question	Réponse
1)	Durant sa première année à Poudlard, à quelle position Harry joue-t-il dans son équipe de quidditch ?	ATTRAPEUR
2)	Au total, combien y a-t-il de buts au jeu de quidditch ?	SIX
3)	Nommez le directeur du collège de Poudlard.	Albus DUMBLEDORE
4)	Les larmes de quel oiseau peuvent servir à soigner ?	Du PHÉNIX

DIVERS :

	Question	Réponse
1)	Comment désigne-t-on un meuble servant à classer des documents ?	Un CLASSEUR
2)	Quel nom donne-t-on aux arbres ou aux poteaux sculptés par les Amérindiens ?	Des TOTEMS
3)	Comment désigne-t-on la personne qui fait des prédictions et étudie l'influence des planètes et des étoiles sur les humains ?	ASTROLOGUE
4)	Nommez la barre de chocolat qui porte le nom d'une planète ?	MARS

VIE ANIMALE :

	Question	Réponse
1)	Sur quel continent vivent les manchots ?	En ANTARCTIQUE
2)	Quel mot désigne le museau du porc ?	Le GROIN
3)	Quel nom porte la cuirasse ventrale d'une tortue ?	Le PLASTRON
4)	En parlant de la vache, quel verbe désigne l'action de remâcher les aliments revenus de son estomac ?	RUMINER

NOTIONS SCIENTIFIQUES :

	Question	Réponse
1)	À la manière de quel oiseau l'hélicoptère vole-t-il ?	Le COLIBRI
2)	Quel type de pollution nous vient avec la pluie ?	Les PLUIES ACIDES
3)	Quelle invention datant de 5 500 ans est devenue indispensable aux transports sur terre ?	La ROUE
4)	En principe, autour de quelle date se situent les journées les plus longues et les plus chaudes de l'année ?	Autour du 21 JUIN (solstice d'été)

GÉOGRAPHIE :

	Question	Réponse
1)	Dans quelle ville des États-Unis situez-vous la *Maison Blanche* ?	WASHINGTON
2)	Sur quel continent se trouve le plus grand désert du monde ?	En AFRIQUE (Le Sahara)
3)	Il y a quatre océans sur Terre, dont le Pacifique et l'Atlantique. Nommez l'un des deux autres.	* INDIEN * ARCTIQUE
4)	Comment désigne-t-on l'ensemble du territoire formé par l'Europe et l'Asie ?	L'EURASIE

JEUX :

	Question	Réponse
1)	Quel total obtient-on toujours si on additionne les deux côtés opposés d'un dé à jouer ?	SEPT
2)	Combien de dés lancez-vous lorsque vous jouez au « YUM » ?	CINQ
3)	Dans le jeu de *dominos*, quelle pièce possède la plus grande valeur ?	Le DOUBLE SIX
4)	Quel jeu de société utilise les vrais noms de rues situées à Atlantic City, aux États-Unis ?	Le MONOPOLY

DIVERS :

	Question	Réponse
1)	Dans quel carnet note-t-on, jour après jour, les choses que l'on doit faire ?	Un AGENDA
2)	Comment nomme-t-on les personnes qui travaillent à la frontière d'un pays pour vérifier les entrées et les sorties ?	Des DOUANIERS
3)	Quel mot désigne les objets anciens ou les meubles anciens ?	* ANTIQUITÉS * ANTIQUES
4)	Lorsqu'on se brise un os, quel appareil utilise le médecin pour constater les fractures ?	L'appareil à RAYONS - X

HARRY POTTER :

	Question	Réponse
1)	À quoi sert le bâtiment nommé *Azkaban* ?	De PRISON
2)	Comment désigne-t-on le courrier spécial expédié dans une enveloppe rouge et qui, en l'ouvrant, hurle le message qu'il contient ?	Une BEUGLANTE
3)	À quoi sert la plante nommée *mandragore* ?	À SOIGNER
4)	Quel professeur, affligé de bégaiement, a l'une de ses paupières agitée de tics nerveux ?	QUIRRELL

VIE ANIMALE :

	Question	Réponse
1)	Quel mot, commençant par « H », désigne l'espace vital occupé par une espèce ?	HABITAT
2)	Nommez l'une des deux classes d'animaux auxquelles appartiennent les principaux prédateurs des crapauds.	* Les OISEAUX * Les REPTILES
3)	Pour se défendre ou se cacher, quel liquide est craché par le calmar dans l'eau environnante ?	De l'ENCRE
4)	Nommez deux classes d'animaux qui pondent des œufs.	* POISSONS * OISEAUX * REPTILES

INVENTIONS :

	Question	Réponse
1)	Quel grand chercheur, né en Grande-Bretagne en 1847 et décédé au Canada en 1922, aurait inventé l'appareil téléphonique ?	Sir Alexander Graham BELL
2)	Nommez l'inventeur de la dynamite qui créa un prix offert à chaque année depuis plus d'un siècle.	Alfred NOBEL
3)	Nommez l'inventeur du code de télégraphie qui fut également l'un des inventeurs du télégraphe.	Samuel MORSE
4)	Quelle invention a été perfectionnée par l'Allemand Johann Gutenberg ?	L'IMPRIMERIE

DIVERS :

	Question	Réponse
1)	Comment nomme-t-on un intervalle entre les parties d'un spectacle ou d'une pièce de théatre ?	Un ENTRACTE
2)	Quelle est la devise des *guides* et des *scouts* ?	TOUJOURS PRÊT
3)	Qu'est-ce qu'un candélabre ?	Un CHANDELIER
4)	Quel mot, commençant par « D », désigne une conversation entre deux personnes ?	Un DIALOGUE

CINÉMA :

	Question	Réponse
1)	Nommez le célèbre docteur qui comprend et parle aux animaux.	* Dr DOLITTLE * Dr DOOLITTLE
2)	*Beethoven* est le titre d'un film et le nom du chien qui y tient la vedette. De quelle race est ce chien ?	ST-BERNARD
3)	Quel film a pour personnage principal un cyber-policier qui utilise plusieurs objets électroniques ?	INSPECTEUR GADGET
4)	Dans un film tourné en 2002, quel héros s'accroche aux édifices et est interprété par Tobey Maguire ?	SPIDER-MAN

NOTIONS SCIENTIFIQUES :

	Question	Réponse
1)	En 1783, quel fut le premier appareil inventé par l'homme pour s'élever dans les airs ?	La MONTGOLFIÈRE
2)	La *Voie lactée* est-elle une étoile, l'univers ou une galaxie ?	Une GALAXIE
3)	Qu'obtient-on en faisant fermenter du jus de raisin ?	Du VIN
4)	Quel moyen d'éclairage l'homme utilisa-t-il juste avant l'ampoule électrique et la lampe à pétrole ?	* La BOUGIE * La CHANDELLE * La LAMPE À L'HUILE

HARRY POTTER :

	Question	Réponse
1)	Quel nom désigne les petites pièces de monnaie en bronze des sorciers ?	des NOISES
2)	Quel mot de passe est utilisé pour entrer dans les appartements d'Albus Dumbledore ?	SORBET CITRON
3)	Comment nomme-t-on quelqu'un qui est né dans une famille de sorciers, mais sans avoir de pouvoirs magiques ?	Un CRACMOL
4)	Quel est le nom du parrain de Harry Potter ?	Sirius BLACK

DIVERS :

	Question	Réponse
1)	Quel mot désigne un arrêt d'autobus équipé d'un abri ?	Un ABRIBUS
2)	Complétez le proverbe suivant : « Chose promise, chose… » ?	DUE
3)	Vivant en Amérique du Sud, que sont les *vampires* ?	Des CHAUVES-SOURIS
4)	Combien de pistons une trompette a-t-elle ?	TROIS

VIE ANIMALE :

	Question	Réponse
1)	Par quel moyen les serpents venimeux injectent-ils leur venin ?	* Leurs DENTS (ou) CROCHETS * Une MORSURE
2)	Quel petit animal nocturne se reproduit par la ponte de milliers d'œufs dans l'eau, sur le bord des étangs, mais vit uniquement sur terre ?	Le CRAPAUD
3)	De quelle couleur est le pelage d'un animal albinos ?	Pelage BLANC
4)	Quel nom désigne les cornes du chevreuil, de l'orignal et des autres cervidés ?	Les BOIS

GÉOGRAPHIE :

	Question	Réponse
1)	Quel est le célèbre mont dont le sommet a été escaladé pour la première fois en 1953 ?	L'EVEREST
2)	Quel est le continent situé le plus au sud de la Terre ?	L'ANTARCTIQUE
3)	Dans quelle ville d'Italie peut-on se balader sur l'eau en gondole ?	À VENISE
4)	* Comment désigne-t-on la personne qui conduit une gondole ?	Un GONDOLIER

RELIGION :

	Question	Réponse
1)	Combien d'apôtres Jésus avait-il ?	DOUZE
2)	Comment appelle-t-on les grandes églises construites par les Chrétiens à l'époque du Moyen Âge ?	Des CATHÉDRALES
3)	Dans quelle ville Jésus changea-t-il l'eau en vin, lors d'une noce ?	À CANA
4)	Quel nom est donné à Dieu par les Musulmans ?	ALLAH

CONTES & LÉGENDES :

	Question	Réponse
1)	Quel roi avait une épée nommée *Excalibur* ?	Le *roi ARTHUR*
2)	* À l'époque de ce roi, qui était le célèbre *enchanteur* ?	*MERLIN*
3)	Quel *maître de la Jungle* a été élevé par des loups ?	*MOWGLI*
4)	Nommez cet enfant, fils d'un lord britannique, qui fut élevé par des gorilles et surnommé *l'homme-singe*.	*TARZAN*

MATHÉMATIQUES :

	Question	Réponse
1)	Quel volume géométrique sera formé par la rotation d'un rectangle autour d'un axe ?	Un CYLINDRE
2)	Le tiers de quel nombre est égal à 25 ?	SOIXANTE-QUINZE
3)	À combien de degrés correspond un *quadrant* ?	90º
4)	Nommez l'axe vertical dans un plan cartésien.	* L'axe des Y * L'axe des ORDONNÉES

HARRY POTTER :

	Question	Réponse
1)	Quel est le nom du langage qui permet de communiquer avec les serpents ?	FOURCHELANG
2)	Nommez les petites créatures à la barbe pointue et au teint sombre qui dirigent la banque de *Gringotts*.	Les GOBELINS
3)	Quels sont les prénoms des deux parents de Harry ?	* JAMES * LILY
4)	Durant la première année de Harry à Poudlard, quel est son professeur de défense contre les forces du mal ?	Le professeur QUIRRELL

DIVERS :

	Question	Réponse
1)	Qu'entrepose-t-on dans un cellier ?	Du VIN
2)	De toutes les pierres précieuses, laquelle a la plus grande valeur ?	Le DIAMANT
3)	Comment désigne-t-on un meuble à tiroirs servant surtout à ranger les vêtements ?	Une COMMODE
4)	Comment se nomme le petit parasol utilisé pour se protéger des rayons du soleil ?	Une OMBRELLE

VIE ANIMALE :

Avec les anagrammes qui suivent, trouvez des noms d'animaux :

	Question	Réponse
1)	N-O-I-L	LION
2)	N-E-A	ÂNE
3)	N-I-L-P-A	LAPIN
4)	C-A-V-E-H	VACHE

NOTIONS SCIENTIFIQUES :

	Question	Réponse
1)	Quel composant d'un fil électrique laisse passer le courant ?	* Le CUIVRE * Le MÉTAL
2)	Quelle fraction de notre globe est éclairée en même temps par le Soleil ?	* La DEMIE * La MOITIÉ * 50%
3)	La Terre est la 3e planète la plus rapprochée du Soleil... Laquelle est la 2e ?	VÉNUS
4)	Darwin a émis la théorie voulant que l'Homme descende de quel animal ?	Du SINGE

EXPRESSIONS :

Complétez chacune des expressions suivantes :

	Question	Réponse
1)	Signifiant « Être très petit », on dit : « Être haut comme trois... » ?	POMMES
2)	Signifiant « Beaucoup d'agitation pour rien », on dit : « Une tempête dans... » ?	UN VERRE D'EAU
3)	Signifiant « Jamais », on dit : « Dans la semaine des... » ?	QUATRE JEUDIS
4)	Signifiant « Se faire prendre », on dit : « Mordre à... » ?	L'HAMEÇON

SPORTS :

	Question	Réponse
1)	Nommez le bâton utilisé pour jouer au billard.	Une QUEUE
2)	Aux Olympiques, le biathlon combine le tir à la carabine avec quel sport d'hiver ?	Le SKI DE FOND
3)	Que signifie l'expression *ex-aequo* ?	* ÉGAL * À ÉGALITÉ
4)	Dans quel sport se sert-on d'un *putter* (un *fer droit*) après avoir utilisé un *bois* et un *fer* ?	Au GOLF

GÉOGRAPHIE :

Question	Réponse
1) Sur quel continent situez-vous les pays suivants : le Cambodge, l'Indonésie et l'Inde ?	En ASIE
2) Une grande partie des continents est constituée de déserts. Quelle proportion ceux-ci occupent-ils : 1/10, 1/5, 1/4 ou 1/3 ?	UN TIERS (1/3)
3) En 2002, dans quelle province canadienne a-t-on découvert les plus vieilles roches volcaniques du monde ?	Au QUÉBEC
4) Quel peuple autochtone du Canada chasse le lièvre, le béluga, le phoque, le caribou et l'ours polaire ?	* Les INUITS * Les ESQUIMAUX

DIVERS :

Question	Réponse
1) Quel nom désigne la vaste construction servant d'abri aux avions ?	Un HANGAR
2) Comment désigne-t-on un petit siège sans dossier et sans bras, généralement à quatre pieds ?	Un TABOURET
3) Quel mot désigne la personne qui est privée d'un bras ou d'une main ?	MANCHOT
4) En musique, quel autre nom donne-t-on à la note *ut* ?	DO

HARRY POTTER :

Question	Réponse
1) Nommez le monstre qui se cache dans les placards de Poudlard et qui prend la forme des peurs de celui qui le voit.	ÉPOUVANTARD
2) Quel moyen de transport a utilisé Hagrid pour amener Harry Potter chez son oncle et sa tante, alors qu'il était bébé ?	Une MOTOCYCLETTE volante
3) Durant sa deuxième année à Poudlard, quel professeur donne à Harry les cours de défense contre les forces du mal ?	Gilderoy LOCKHART
4) Quel objet, recherché par Voldemort, produit un élixir qui rend immortel ?	La PIERRE PHILOSOPHALE

VIE ANIMALE :

	Question	Réponse
1)	Chez quel peuple de l'Antiquité le chat était-il un animal sacré ?	Les ÉGYPTIENS
2)	Comment désigne-t-on les animaux qui se nourrissent de viande, de chair crue ?	* CARNASSIERS * CARNIVORES
3)	Combien la pieuvre a-t-elle de tentacules ?	HUIT
4)	* Comment appelle-t-on les petits organes ronds, situés sur les tentacules, qui permettent à la pieuvre de capturer et retenir ses proies ?	Des VENTOUSES

ARTS :

	Question	Réponse
1)	Quel mot désigne la plaque sur laquelle le peintre dépose ses couleurs et les mélange ?	La PALETTE
2)	Comment se nomment les outils dont se sert le sculpteur pour travailler ?	Des CISEAUX
3)	Comment désigne-t-on le lieu de travail d'un artiste peintre ou d'un sculpteur ?	* Un ATELIER * Un STUDIO
4)	Quelle sorte de peinture, servant en arts plastiques, est à base d'eau et de gomme arabique ?	* La GOUACHE * La PEINTURE À L'EAU

BOTANIQUE :

	Question	Réponse
1)	Quel mot, commençant par « C », désigne un arbre qui reste vert toute l'année ?	Un CONIFÈRE
2)	Où situez-vous la *cime* d'un arbre ?	* En HAUT * Au SOMMET
3)	Quel fruit utilise-t-on dans la fabrication du *cidre* ?	La POMME
4)	Quel agrume, dont le nom commence par « T », est issu d'un croisement entre la mandarine et l'orange ?	* La TANGERINE * Le TANGOR

NOTIONS SCIENTIFIQUES :

	Question	Réponse
1)	Comment s'appelle l'état dans lequel se trouvent les astronautes dans l'espace et qui fait qu'ils se sentent très légers ?	APESANTEUR
2)	Quel instrument est utilisé dans un sous-marin pour voir à la surface de l'eau ?	Un PÉRISCOPE
3)	Comment nomme-t-on la pluie d'été qui tombe sous forme de glace ?	La GRÊLE
4)	Lors d'un tremblement de terre, quel est le meilleur endroit où nous devrions nous réfugier ?	SOUS... * UNE TABLE * UN CADRE DE PORTE

DIVERS :

	Question	Réponse
1)	Comment désigne-t-on un petit meuble à dessus incliné, sur lequel on peut écrire ou dessiner ?	* Un PUPITRE * Une TABLE À DESSIN
2)	Comment nomme-t-on des mots différents qui signifient la même chose ?	Des SYNONYMES
3)	Quel gaz, utilisé par les policiers, a pour effet de faire pleurer ?	LACRYMOGÈNE
4)	À qui faisons-nous appel pour réparer ou ajuster notre piano ?	Un ACCORDEUR de piano

HARRY POTTER :

	Question	Réponse
1)	Quel est le nom du chat de Hermione ?	PATTENROND
2)	Quel est le nom du personnage le plus gaffeur du Collège ?	Neville LONDUBAT
3)	Quel nom portent les pièces en or des sorciers ?	Des GALLIONS
4)	Dans le premier livre des aventures de Harry Potter, qui est *le porteur* de Voldemort ?	Le professeur QUIRRELL

VIE ANIMALE :

Question	Réponse
1) Le corps de l'insecte est divisé en trois parties. Nommez sa partie arrière.	L'ABDOMEN
2) En moyenne, combien de jours après la ponte les œufs du moineau vont-ils éclore : 13, 23 ou 33 jours ?	TREIZE jours
3) Quel verbe exprime l'action du cheval qui projette avec force ses pattes de derrière ?	RUER
4) Quel mot commençant par « F » désigne l'ensemble des animaux vivant dans une région déterminée ?	La FAUNE

BIOLOGIE :

Question	Réponse
1) Comment nomme-t-on la partie extérieure visible de l'oreille ?	Le PAVILLON
2) Quelle est la principale cause du cancer du poumon ?	* Le TABAGISME * La CIGARETTE
3) Quel nom désigne le couteau du chirurgien servant à faire des incisions dans les chairs ?	* Le BISTOURI * Le SCALPEL
4) Comment appelle-t-on la partie du corps humain qui contient le cœur et les poumons ?	Le THORAX

GÉOGRAPHIE :

Question	Réponse
1) Quel pays du monde est le plus peuplé ?	La CHINE
2) Quel continent vient presque toucher à l'Amérique du Nord ?	L'ASIE
3) Quel genre de recueil contient beaucoup de cartes géographiques ?	Un ATLAS
4) Avant l'époque de Christophe Colomb, quelle forme avait notre Terre, selon la majorité des Européens ?	PLATE

	Question	Réponse
	CUISINE :	
1)	Quel produit fait lever le pain en cuisant ?	La LEVURE
2)	Comment désigne-t-on la tige de métal ou de bois utilisée pour faire rôtir les viandes ?	* Une BROCHE * Une BROCHETTE
3)	Quel nom désigne l'écorce extérieure colorée des agrumes ?	Le ZESTE
4)	Comment nomme-t-on le mélange composé principalement de viande hachée et d'épices, servant à remplir une volaille ?	La FARCE
	MYTHOLOGIE :	
1)	Quel animal fabuleux à corps de cheval est porteur d'une corne unique au milieu du front ?	La LICORNE
2)	Quel être mythologique, au visage et au buste de femme, avec un corps de poisson ou d'oiseau, provoquait des naufrages en attirant les navigateurs par son chant mélodieux ?	SIRÈNE
3)	Quels géants forgerons et bâtisseurs n'avaient qu'un seul œil au milieu du front ?	Les CYCLOPES
4)	En mythologie grecque, quel est le dieu du Ciel et le maître de tous les dieux ?	ZEUS
	DIVERS :	
1)	Quel mot de quatre lettres désigne la jupe des Écossais ?	KILT
2)	Comment nomme-t-on l'ancien instrument à roue actionnée par une pédale, servant à filer la laine, le chanvre ou le lin ?	Un ROUET
3)	Nous lisons de gauche à droite. Comment lit-on l'écriture hébraïque et arabe ?	DE DROITE À GAUCHE
4)	* Et comment le fait-on pour les écritures japonaises ou chinoises ?	DE HAUT EN BAS

HARRY POTTER :

	Question	Réponse
1)	Quel est le nom du journal des sorciers ?	*LA GAZETTE DU SORCIER*
2)	Quel est le nom du professeur de potions ?	Severus ROGUE
3)	Quel professeur s'est fait connaître dans le monde des sorciers en écrivant des livres ?	Gilderoy LOCKHART
4)	Complétez le surnom que les sorciers utilisent pour parler de Voldemort : « Celui-Dont-On-Ne-Doit-Pas... » ?	PRONONCER-LE-NOM

VIE ANIMALE :

	Question	Réponse
1)	Comment nomme-t-on le processus par lequel un serpent change de peau ?	La MUE
2)	Lequel des animaux suivants est recherché pour sa fourrure : le castor, le cheval, le bœuf ou le chevreuil ?	Le CASTOR
3)	Des trois animaux suivants, lequel est le plus proche parent du porc (cochon) : le mouton, la chèvre ou l'hippopotame ?	L'HIPPOPOTAME
4)	Comment les tortues protègent-elles leurs œufs une fois pondus ?	En les ENFOUISSANT dans le sable

VOCABULAIRE :

Quel mot commençant... :

	Question	Réponse
1)	Par « S », désigne une personne qui ressemble parfaitement à une autre ?	SOSIE
2)	Par « A », désigne un fruit à peau verte ou une personne qui fait profession de défendre des personnes en justice ?	AVOCAT
3)	Par « R », désigne un *automate* ou une machine à l'aspect humain ?	ROBOT
4)	Par « L », désigne un édifice ayant un grand nombre de pièces disposées de façon à trouver difficilement la sortie ?	LABYRINTHE

ASTRONOMIE :

	Question	Réponse
1)	Comment appelle-t-on les corps célestes qui gravitent autour d'une étoile ?	Des PLANÈTES
2)	Si vous allez sur Mars, votre poids sera-t-il plus grand, égal ou plus petit que sur Terre ?	PLUS PETIT
3)	Comment nomme-t-on le mouvement de la Terre qui tourne sur elle-même ?	La ROTATION
4)	Des neuf planètes de notre système solaire, que possèdent les quatre plus grosses autour d'elles que les autres n'ont pas ?	Des ANNEAUX

HISTOIRE :

	Question	Réponse
1)	Pour fabriquer du feu, l'homme préhistorique a eu recours à deux méthodes. Nommez l'un des deux matériaux qu'il a utilisés.	* Des bouts de BOIS * De la PIERRE (roche)
2)	Dans quel pays est né Christophe Colomb qui explora l'Amérique à partir de 1492 ?	En ITALIE
3)	Quelles furent les premières habitations des hommes préhistoriques ?	Les CAVERNES
4)	Les pyramides d'Égypte ont été construites pour abriter les tombeaux de quels personnages ?	Des PHARAONS

DIVERS :

	Question	Réponse
1)	En musique, une ronde vaut combien de noires?	QUATRE
2)	Complétez le proverbe : « Quand le chat n'est pas là, les souris... » ?	DANSENT
3)	Comment désigne-t-on l'individu qui arrive d'un autre pays pour s'établir dans le nôtre ?	* IMMIGRANT * RÉFUGIÉ
4)	* Comment désigne-t-on celui qui part de notre pays pour aller s'établir dans un autre ?	ÉMIGRANT

HARRY POTTER :

Question	Réponse
1) Au grand total, combien de balles faut-il pour jouer au Quidditch ?	QUATRE
2) Chaque aventure (ou livre) de Harry Potter représente quelle partie de sa vie ?	UNE ANNÉE SCOLAIRE
3) Dans les livres, quelle est la couleur des yeux de Harry Potter ?	VERTS
4) En quel animal se transforme le professeur Lupin ?	En LOUP-GAROU

VIE ANIMALE :

Question	Réponse
1) Quel animal nous fournit la soie naturelle ?	Le VER À SOIE
2) Comment désigne-t-on un jeune lapin ?	Un LAPEREAU
3) Quel nom porte l'endroit où on fait l'élevage des chiens de race ?	Un CHENIL
4) Comment se nomme l'appareil utilisé pour couver artificiellement les œufs de poules et les faire éclore ?	* Une COUVEUSE * Un INCUBATEUR

BD & DESSINS ANIMÉS :

Question	Réponse
1) Quel personnage de *Spirou* retrouve-t-on dans les aventures de *Gaston la Gaffe* ?	*FANTASIO*
2) Dans les aventures de *Lucky Luke*, quel est le nom de famille des 4 frères qui sont des bandits ?	*DALTON*
3) Dans quelle aventure de *Tintin* est apparu son ami *Tchang* pour la première fois ?	*LE LOTUS BLEU*
4) Nommez le chef de la tribu dans les aventures d'*Astérix*.	*ABRARACOURCIX*

OLYMPISME :

	Question	Réponse
1)	Que symbolise le fond blanc du drapeau olympique ?	La PAIX
2)	Complétez la devise des Jeux olympiques : « Plus vite, plus haut, plus... » ?	FORT
3)	Quel événement symbolique marque l'ouverture des Jeux olympiques ?	L'allumage de la FLAMME
4)	En 1896, dans quel pays européen eurent lieu les premiers Jeux olympiques de l'ère moderne ?	En GRÈCE

DIVERS :

	Question	Réponse
1)	Quel est le plus gros instrument de la famille des cuivres ?	Le TUBA
2)	Quel officier détient la plus haute autorité sur un navire ?	Le CAPITAINE
3)	Au cinéma, comment désigne-t-on la personne qui double les acteurs dans les scènes dangereuses ?	Un CASCADEUR
4)	Identifiez ce manteau, en usage en Amérique latine, fait d'une couverture percée au centre pour y passer la tête.	Le PONCHO

CONTES & LÉGENDES :

	Question	Réponse
1)	Quelle espèce d'arbre gigantesque risque d'envahir la planète du *Petit Prince* ?	Le BAOBAB
2)	Nommez la forêt fréquentée par *Robin des Bois*.	La forêt de SHERWOOD
3)	* Dans quel pays situez-vous cette forêt ?	En ANGLETERRE
4)	* Qui avait le droit exclusif de chasser dans cette forêt ?	Le ROI

NOTIONS SCIENTIFIQUES :

Question	Réponse
1) Le centre d'un atome est désigné sous la même appellation que le centre d'une pêche ou d'une cerise. Quel est ce mot ?	NOYAU
2) Dans quel genre de salle, ayant un plafond en coupole représentant la voûte céleste, projette-t-on des images lumineuses symbolisant les astres et leurs mouvements ?	Un PLANÉTARIUM
3) Comment désigne-t-on la neige qui dévale en grande quantité d'une montagne, emportant tout sur son passage ?	Une AVALANCHE
4) En informatique, comment nomme-t-on une série d'instructions et de données pouvant être traitées par un ordinateur ?	* Un PROGRAMME * Un LOGICIEL

HARRY POTTER :

Question	Réponse
1) Quel est le nom du dragon de Hagrid ?	NORBERT
2) Quel est le travail de Argus Rusard à Poudlard ?	CONCIERGE
3) Quel est le nom de la chatte-espion qui rapporte tout à son maître ?	MISS TEIGNE
4) Quel est le nom du professeur de métamorphose ?	Minerva McGONAGALL

VIE ANIMALE :

Question	Réponse
1) Quel oiseau rapace est l'emblème des États-Unis ?	L'AIGLE
2) Après l'homme, quel est le mammifère le plus intelligent ?	Le CHIMPANZÉ (3e : gorille)
3) Nommez l'appareil que l'on utilise pour traire les vaches.	Une TRAYEUSE
4) Les mouches passent par 4 stades de croissance. Le dernier étant l'adulte, nommez l'un des 3 premiers stades.	* L'OEUF * La LARVE * La NYMPHE

GÉOGRAPHIE :

	Question	Réponse
1)	Comment désigne-t-on un pays qui est dirigé par un roi ou une reine ?	Un ROYAUME
2)	Quel est le 2e plus grand océan du monde ?	ATLANTIQUE
3)	* Lequel se classe au 3e rang ?	INDIEN
4)	Quel animal légendaire les Chinois présentent-ils lors de leurs défilés ou leurs parades ?	Le DRAGON

MATHÉMATIQUES :

	Question	Réponse
1)	En combien de degrés le cercle se divise-t-il ?	TROIS CENT SOIXANTE
2)	Si les 3/4 d'un nombre égalent 6, quel est ce nombre ?	HUIT
3)	Quel triangle a un angle droit ?	Le triangle RECTANGLE
4)	Trois mouches se prennent dans une toile d'araignée et celle-ci arrive pour son repas. Combien de pattes y a-t-il au total sur la toile ?	VINGT-SIX (8 + 3X6)

EXPRESSIONS :

Complétez les expressions suivantes avec des noms d'animaux :

	Question	Réponse
1)	« Un grand froid », on dit : « Un froid de... » ?	* CANARD * LOUP
2)	« Avoir la taille très fine », on dit : « Avoir une taille de... » ?	GUÊPE
3)	« Être enroué », on dit : « Avoir un... *« ? »* dans la gorge » ?	CHAT
4)	« Manger d'une manière vorace, beaucoup et mal », on dit : « Manger comme un... » ?	* PORC * COCHON

HARRY POTTER :

	Question	Réponse
1)	En quel métal sont les pièces de monnaie des sorciers appelées « Mornilles » ?	En ARGENT
2)	Nommez l'elfe de maison qui vient prendre contact avec Harry, dès le début de la 2e aventure littéraire du héros.	DOBBY
3)	Nommez l'une des deux maisons de Poudlard dont le nom commence par la lettre « S ».	* SERDAIGLE * SERPENTARD
4)	En quel animal se transforme le professeur Minerva McGonagall ?	En CHAT

LITTÉRATURE :

	Question	Réponse
1)	Complétez le titre suivant d'une fable de Jean de La Fontaine : « Le meunier, son fils et… » ?	L'ÂNE
2)	Quel trait physique caractérise *Cyrano de Bergerac*, le personnage d'Edmond Rostand ?	Son LONG NEZ
3)	Comment désigne-t-on la liste, au début ou à la fin d'un livre, qui énumère ses principaux sujets ?	* La TABLE DES MATIÈRES * Le SOMMAIRE
4)	Par quel personnage était habité le premier astéroïde visité par *le Petit Prince* ?	Un ROI

GÉOGRAPHIE :

	Question	Réponse
1)	Quel pays de l'Amérique du Nord possède la plus grande superficie ?	Le CANADA
2)	Nommez le plus grand océan du monde.	PACIFIQUE
3)	Quelle chaîne de montagnes est située dans l'Ouest du Canada et des États-Unis ?	Les montagnes ROCHEUSES
4)	Dans quel pays irez-vous pour voir le Sphinx ?	En ÉGYPTE

VIE ANIMALE :

	Question	Réponse
1)	Le crabe est-il un crustacé, un poisson ou un mollusque ?	Un CRUSTACÉ
2)	Quel groupe d'animaux, parmi les plus connus, classe-t-on dans l'ordre des *primates* ?	Les SINGES
3)	Jusqu'à quelle distance les porcs-épics peuvent-ils lancer leurs piquants : 10 mètres, 5 mètres, un mètre ou zéro mètre ?	ZÉRO mètre
4)	Quel animal de la ferme serait le plus intelligent ?	* Le PORC * Le COCHON

DIVERS :

	Question	Réponse
1)	Quel mot désigne l'agrafe ou attache qui sert à tenir fermé un collier ou un bracelet ?	Un FERMOIR
2)	Comment désigne-t-on des yeux de couleur bleu-vert ?	PERS
3)	Quel saint légendaire serait à l'origine du *Père Noël*?	Saint NICOLAS
4)	En musique, quel signe d'altération baisse une note d'un demi-ton ?	Le BÉMOL

BOTANIQUE :

	Question	Réponse
1)	Comment se nomment les grains microscopiques produits par une fleur et constituant les éléments mâles de la fécondation ?	Le POLLEN
2)	* Les grains seront transportés dans une fleur pour aller féconder quel élément de cette fleur ?	L'OVULE
3)	* Nommez l'un des trois principaux moyens par lesquels les grains vont se rendre féconder une fleur.	* Le VENT * Les OISEAUX * Les INSECTES
4)	* Nommez l'une des principales bestioles qui servent à la pollinisation, c'est-à-dire au transport des grains.	* La GUÊPE * L'ABEILLE * Le PAPILLON

BIOLOGIE :

	Question	Réponse
1)	Quelle partie du corps humain est affectée par un *orgelet* ?	L'OEIL
2)	Quel mot désigne l'action de couper un membre par une opération chirurgicale ?	AMPUTATION
3)	Comment s'appelle cette grave maladie due au virus du VIH ?	Le SIDA
4)	Comment se nomme la tige osseuse articulée qui soutient le squelette humain et lui permet de se tenir debout ?	La COLONNE VERTÉBRALE

NOTIONS SCIENTIFIQUES :

	Question	Réponse
1)	Qu'est-ce qui a été inventé en premier : l'automobile, la radio ou la télévision ?	L'AUTOMOBILE
2)	La Terre est-elle située loin, près, ou à l'intérieur de la Voie lactée ?	À L'INTÉRIEUR
3)	À quelle température l'eau se change-t-elle en glace ?	0º C
4)	À quelle température l'eau chauffée bout-elle pour devenir de la vapeur ?	100º C

HARRY POTTER :

	Question	Réponse
1)	En bordure de quelle forêt Hagrid habite-t-il ?	La forêt INTERDITE
2)	À qui appartenait l'elfe *Dobby* avant que celui-ci devienne la propriété de Harry ?	Lucius MALEFOY
3)	À Poudlard, à la fin de chaque année scolaire, quelle coupe est décernée à la maison qui a accumulé le plus de points ?	La coupe des QUATRE MAISONS
4)	À la prison d'Azkaban, quelle est l'ultime punition qu'un Détraqueur peut infliger à un prisonnier ?	Le BAISER du Détraqueur

QUE SUIS-JE ? :

A) Je suis une plante dont certaines de mes espèces sont cultivées pour leurs fleurs très odorantes.

B) Je suis un petit cercle sur un tissu, de couleur différente de celle du fond.

C) Je proviens d'une plante légumineuse dont les gousses contiennent des graines servant de base à une soupe.

D) Je suis un tout petit légume vert qui accompagne les repas.

Un POIS

QUE SUIS-JE ? :

A) Je suis un écrit authentique établissant un droit.

B) Je suis une désignation honorifique attribuée à certaines personnes.

C) Je sers à identifier un film, une pièce musicale, un tableau ou une œuvre.

D) Je suis inscrit à la tête d'un livre ou d'un chapitre pour en faire connaître le sujet, le contenu.

Un TITRE

QUE SUIS-JE ? :

A) Je suis l'enveloppe membraneuse qui entoure une articulation.

B) Je suis un petit véhicule spatial récupérable.

C) Je suis l'enveloppe soluble de certains médicaments.

D) Je suis le couvercle en métal ou en plastique que l'on applique sur le goulot d'une bouteille.

Une CAPSULE

DIVERS :

	Question	Réponse
1)	Au Jour du souvenir, on se rappelle des personnes qui sont mortes lors de quels événements ?	De GUERRES
2)	Quel mot désigne le petit contenant de lait ou de crème conçu pour le café ?	Un GODET
3)	Nommez l'un des domaines d'activités dans lesquels Michel-Ange s'est illustré ?	* La PEINTURE * La SCULPTURE * L'ARCHI-TECTURE
4)	Comment désigne-t-on l'ensemble des biens qu'une personne lègue à sa mort ?	Un HÉRITAGE

NOTIONS SCIENTIFIQUES :

	Question	Réponse
1)	Depuis 1950, de quel site en Floride les Américains lancent-ils leurs fusées spatiales ?	CAP CANAVERAL
2)	Est-ce à 1 100ºC, 3 100ºC, 5 100ºC ou 7 100ºC que l'on évalue la température du noyau interne situé au centre de la Terre ?	5 100ºC
3)	Nommez le plus petit élément d'une matière que l'on obtient en regroupant des atomes.	Une MOLÉCULE
4)	La matière se présente sous trois états. Outre l'état solide, quels sont les deux autres ?	* LIQUIDE * GAZEUX

GÉOGRAPHIE :

	Question	Réponse
1)	Dans quel pays l'empereur porte-t-il le titre de *mikado* ?	Au JAPON
2)	Les États-Unis comptent 50 États. Lequel est situé au nord-ouest du Canada ?	L'ALASKA
3)	Comment nomme-t-on une bande de terre étroite, située entre deux mers et réunissant deux terres ?	Un ISTHME
4)	Dans quelle partie du globe les temples religieux sont-ils désignés sous le nom de *pagodes* ?	* En ASIE * En EXTRÊME-ORIENT

VIE ANIMALE :

	Question	Réponse
1)	Quel mot commençant par « V » désigne les animaux qui mettent au monde leurs petits vivants, par opposition aux ovipares ?	VIVIPARES
2)	Sur quelle partie de continent vit le *nandou*, un oiseau semblable à l'autruche ?	En AMÉRIQUE DU SUD
3)	Quel autre nom désigne le fil produit par l'araignée ?	La SOIE
4)	Quel grand vautour vit dans les Andes et en Californie ?	Le CONDOR

HISTOIRE :

	Question	Réponse
1)	De quel pays les États-Unis ont-ils acheté l'Alaska en 1867 ?	De la RUSSIE
2)	En quelle année se termina la Deuxième Guerre mondiale ?	1945
3)	Quel peuple a construit les premières routes pavées, vers l'an 334 ans avant J.-C. ?	Les ROMAINS
4)	Quelle invention marqua la fin de la préhistoire et ainsi, les débuts de l'histoire de l'Homme ?	L'ÉCRITURE

CONTES & LÉGENDES :

	Question	Réponse
1)	Quelle héroïne a raconté des histoires pendant mille et une nuits, dans l'espoir d'éviter la mort ?	*SCHÉHÉRAZADE*
2)	Combien de fées la *Belle au Bois dormant* reçut-elle pour marraines ?	* SEPT (v.littéraire) * TROIS (v.Disney)
3)	Durant la première moitié du 19e siècle, deux frères allemands prénommés Jacob et Wilhelm, consignèrent par écrit des contes recueillis auprès de parents et amis. Donnez leur nom de famille.	Les frères GRIMM
4)	Selon un conte portugais, une jeune fille reçut un peigne magique de sa mère mourante. Que tombait-il de ses cheveux lorsqu'elle l'utilisait ?	Des PERLES

VOCABULAIRE :

	Question	Réponse
1)	L'adjectif *carcéral* a rapport avec lequel des trois mots suivants : prison, cancer ou tombe ?	PRISON
2)	Que signifie le mot *figaro* ?	* BARBIER * COIFFEUR
3)	Quel mot désigne le cercle extérieur d'une roue, sur lequel est fixé le pneu ?	La JANTE
4)	* Quel mot désigne la pièce centrale d'une roue, traversée par l'essieu ?	Le MOYEU

ASTRONOMIE :

	Question	Réponse
1)	Les orbites décrites par les neuf planètes de notre système solaire sont elliptiques. Une de ces orbites possède une inclinaison différente. De quelle planète s'agit-il ?	PLUTON
2)	Lorsqu'on obtient la diffraction de la lumière par le prisme, en quoi se décompose-t-elle ?	En sept COULEURS
3)	Comment nomme-t-on les milliers de corps célestes, appelés *petites planètes*, qui gravitent autour du Soleil et qui sont pour la plupart situés entre Mars et Jupiter ?	Les ASTÉROÏDES
4)	Quelle est la forme de notre galaxie, la *Voie lactée* ?	* En SPIRALE * Comme un RESSORT

EXPRESSIONS :

	Question	Réponse
1)	Selon l'expression populaire, quel oiseau ne fait pas le printemps ?	Une HIRONDELLE
	Complétez les expressions ou proverbes suivants :	
2)	« Si tu veux la paix, prépare… » ?	LA GUERRE
3)	« Quiconque se sert de l'épée périra… » ?	PAR L'ÉPÉE
4)	Quelle valeur numérique utilise-t-on pour désigner quelqu'un qui est endimanché… On dit : « Cette personne est sur son… » ?	* 31 * 36 (selon les régions)

NOTIONS SCIENTIFIQUES :

	Question	Réponse
1)	Quel important moyen de communication fut mis au point par Tim Berners-Lee, en décembre 1990 ?	INTERNET
2)	Quel est l'ancêtre de la radio : la télévision, la télégraphie sans fil ou le téléphone ?	La TÉLÉGRAPHIE SANS FIL
3)	Quelle science étudie les corps célestes et la structure de l'Univers ?	L'ASTRONOMIE
4)	* Laquelle étudie les animaux ?	La ZOOLOGIE

MYTHOLOGIE :

	Question	Réponse
1)	Quel être fabuleux de la mythologie grecque est représenté comme un monstre moitié homme et moitié cheval ?	Le CENTAURE
2)	Dionysos était le dieu grec de la Végétation, en particulier de la Vigne et du Vin… Qui était son père ?	ZEUS
3)	Quelle femme sauva Thésée en le faisant évader du Labyrinthe grâce à son fil ?	ARIANE
4)	Quel est le héros de l'*Odyssée* d'Homère ?	ULYSSE

CUISINE :

	Question	Réponse
1)	Quel nom désigne la glace légère à base de fruits, sans crème, servie au dessert ?	* Un SORBET * Un GRANITÉ
2)	Combien y a-t-il de cuillerées à thé dans une cuillerée à table ?	TROIS
3)	Quel appareil, servant à cuire des aliments, est constitué d'un récipient contenant de l'eau bouillante dans lequel est déposé un second récipient qui contient la nourriture à faire cuire lentement ?	Le BAIN-MARIE
4)	Quel mode de cuisson consiste à faire cuire des aliments à la vapeur dans un récipient clos ?	* À L'ÉTOUFFÉE * À L'ÉTUVÉE

DIVERS :

	Question	Réponse
1)	Comment désigne-t-on le quadrillage utilisé dans les mots croisés ?	Une GRILLE
2)	En musique, quel instrument à cordes ressemble énormément au violon, mais est un peu plus grand et possède une tonalité plus grave ?	L'ALTO
3)	À quoi sert la *cravache* du cocher ?	* À FOUETTER… * À FRAPPER… le cheval
4)	Quelle lettre actuelle de l'alphabet les Anciens utilisaient-ils pour représenter la lettre « U » ?	« V »

GÉOGRAPHIE :

	Question	Réponse
1)	Quel mot désigne l'endroit où un fleuve se jette dans la mer ?	L'EMBOUCHURE (estuaire ou delta)
2)	Quelle langue parlée, à base française mais provenant de plusieurs langues, est devenue la langue maternelle des Haïtiens ?	Le CRÉOLE
3)	Si nous sommes au printemps dans l'hémisphère Nord, quelle saison y a-t-il dans l'hémisphère Sud ?	L'AUTOMNE
4)	Aux États-Unis, lequel des 50 États est formé de 132 îles ?	HAWAII

VIE ANIMALE :

	Question	Réponse
1)	Le *goglu* est-il une variété de souris, d'oiseau ou de reptile ?	Un OISEAU
2)	Qu'est-ce qu'un *molosse* ?	Un gros CHIEN de garde ou de combat
3)	Nommez l'un des deux oiseaux qui ne volent pas, tout comme l'autruche, et qui vivent en Australie.	* L'ÉMEU * Le CASOAR
4)	Nommez deux des cinq procédés de conservation des produits de la pêche commerciale.	* SALAGE * FUMAGE * CONGÉLATION * SÉCHAGE * EN CONSERVE

MATHÉMATIQUES :

	Question	Réponse
1)	Combien y a-t-il de décimètres cubes dans 5 litres d'eau ?	CINQ
2)	Quel solide possède un apex ?	Le CÔNE
3)	Tu joues au hockey et tu viens de dépasser le 3e marqueur de ta ligue. À quel rang es-tu maintenant classé ?	TROISIÈME (Lui devient 4e)
4)	Quels sont les deux symboles utilisés dans le système de numération binaire (à base 2) ?	* 0 * 1

HARRY POTTER :

	Question	Réponse
1)	Au début des années 1990, dans quel pays l'auteure Joanne Kathleen Rowling a-t-elle enseigné l'anglais?	Au PORTUGAL
2)	De quelle langue Joanne Kathleen Rowling est-elle diplômée en littérature ?	FRANÇAISE
3)	Qui tient le rôle de Harry Potter dans le film *Harry Potter à l'école des sorciers* ?	Daniel RADCLIFFE
4)	* Qui joue le rôle de Ron Weasley dans le même film ?	Rupert GRINT

DIVERS :

	Question	Réponse
1)	En chant, quelle est la voix la plus élevée chez la femme ?	SOPRANO
2)	En musique, quel appareil électronique peut créer des sons artificiellement et imiter des instruments ?	Le SYNTHÉTISEUR
3)	Nommez la partie du pistolet sur laquelle on appuie pour faire partir le coup.	La DÉTENTE
4)	Placez les trois titres suivants en ordre décroissant d'importance : roi, duc et empereur.	1) EMPEREUR 2) ROI 3) DUC

NOTIONS SCIENTIFIQUES :

	Question	Réponse
1)	Quel élément les alchimistes du Moyen Âge cherchaient-ils à obtenir en tentant de transmuter certains métaux ?	De l'OR
2)	Combien de brevets d'invention furent enregistrés au nom du grand chercheur américain Thomas Edison : 397, 697 ou 1 097 ?	1 097
3)	Dans l'Égypte ancienne, que mesurait-on avec une *clepsydre* ?	Le TEMPS
4)	* Quel élément était nécessaire au fonctionnement de la clepsydre ?	L'EAU

HISTOIRE :

	Question	Réponse
1)	Quel ancien peuple désignait l'or comme étant *la sueur du Soleil*, ce métal qui avait pour eux une grande valeur symbolique et religieuse ?	Les INCAS
2)	Dans la Rome antique, quel mot désignait les combattants de l'arène ?	Les GLADIATEURS
3)	Nommez l'une des deux villes japonaises qui furent détruites par la bombe atomique, en 1945.	* HIROSHIMA * NAGASAKI
4)	Nommez l'île qui a vu naître Napoléon Bonaparte ou celle qui l'a vu mourir.	* La CORSE (N) * STE-HÉLÈNE (M)

CONTES & LÉGENDES :

	Question	Réponse
1)	Les *elfes* sont des génies de légendes scandinaves, africaines ou espagnoles ?	SCANDINAVES
2)	Le but premier de la création du conte musical *Pierre et le Loup*, par Sergueï Prokofiev, était de faire connaître quels éléments d'un orchestre ?	Les INSTRUMENTS DE MUSIQUE
3)	Un conte d'origine allemande a pour héroïne la fille d'un meunier qui épousa un roi grâce à un gnome. Il l'aida en filant quelle matière qui se transformait en or ?	De la PAILLE
4)	* Plus tard, que va exiger le gnome de cette fille en échange de son travail ?	Son premier ENFANT

BOTANIQUE :

	Question	Réponse
1)	Que produisent la majorité des cactus dans leurs petites cavités appelées *aréoles* ?	Des FLEURS
2)	Quel mot désigne le transport du pollen à partir des anthères d'une fleur jusqu'aux stigmates de la même fleur ou d'une autre, permettant la fécondation ?	La POLLINISATION
3)	En Amérique du Sud, certaines espèces de cactus vivent à l'état sauvage dans un milieu différent du désert. Quel est ce milieu ?	La JUNGLE
4)	À quelle variété de chou a-t-on donné le nom d'une capitale européenne ?	Le chou de BRUXELLES

ASTRONOMIE :

	Question	Réponse
1)	Quelle est la distance entre le Soleil et la Terre : 50 – 150 – 250 ou 350 millions de kilomètres ?	150 millions de Km
2)	Chaque année, le Soleil traverse 12 constellations. Comment les anciens astronomes nommèrent-ils l'ensemble de ces constellations ?	Le ZODIAQUE
3)	Si je voyage à 100 kilomètres à l'heure, combien de mois vais-je prendre pour me rendre à la Lune : 2,5 – 5,5 ou 8,5 mois ?	5,5 MOIS
4)	Selon l'astronome Claude Ptolémée, qui vécut au 2e siècle après J.-C. et qui ne fut démenti qu'au 16e siècle, quel astre était fixe et constituait le centre de l'Univers ?	La TERRE

DIVERS :

Sujet : *la parole. Comment désigne-t-on :*

	Question	Réponse
1)	Une personne qui traduit oralement d'une langue à une autre ?	INTERPRÈTE
2)	Celui qui parle plusieurs langues ?	POLYGLOTTE
3)	La personne à qui l'on parle, ou qui parle avec une autre ?	INTERLOCUTEUR
4)	Celui qui interroge ?	INTERROGATEUR INTERVIEWEUR

GÉOGRAPHIE :

	Question	Réponse
1)	Nommez le plus long fleuve d'Afrique.	Le NIL
2)	Quel détroit sépare l'Alaska de la Russie ?	Détroit de BÉRING
3)	Nommez le plus long fleuve de l'Amérique du Sud.	L'AMAZONE
4)	Dans quel pays situez-vous l'ancien site inca Machu Picchu ?	Au PÉROU

VIE ANIMALE :

	Question	Réponse
1)	Sous quel nom connaissons-nous mieux le cétacé nommé *orque* ?	ÉPAULARD
2)	Expert dans la construction de barrages, quel est le meilleur ingénieur chez les animaux ?	Le CASTOR
3)	Il y a cinq classes d'animaux vertébrés. Trois d'entre elles sont : les poissons, les amphibiens et les reptiles. Nommez l'une des deux autres classes.	* Les OISEAUX * Les MAMMIFÈRES
4)	Quel animal marin est considéré comme ayant l'œil le plus gros avec ses 38 cm de diamètre ?	Le CALMAR géant

NOTIONS SCIENTIFIQUES :

	Question	Réponse
1)	Quelle source d'énergie a-t-on utilisée pour faire fonctionner les premières locomotives, au début du XIXe siècle ?	* Le CHARBON * La VAPEUR
2)	Comment désigne-t-on la perturbation causant un mouvement très violent, tourbillonnaire ou giratoire, de l'atmosphère ?	* Une TORNADE * Un CYCLONE * Un TYPHON * Une TROMBE
3)	Lorsqu'on écrit certaines adresses électroniques, que signifie le « .com » à la fin de l'adresse ?	COMPAGNIE
4)	Quelle grande firme américaine entra sur le marché de la micro-informatique en lançant son premier ordinateur personnel (PC) le 12 août 1981 ?	IBM

	Question	Réponse
	SPORTS :	
1)	Quel sport consiste à faire glisser sur la glace des pierres plates et rondes munies d'une poignée ?	Le CURLING
2)	En quelle année le jeu de tennis a-t-il été inventé : 1773, 1823 ou 1873 ?	1873
3)	Des trois armes de l'escrime, laquelle est la plus légère ?	Le FLEURET
4)	Quel mot désigne un voilier à deux coques accouplées ?	Un CATAMARAN
	DIVERS :	
1)	Quel mot désigne un marin qui se révolte et refuse de se soumettre aux autorités du navire ?	Un MUTIN
2)	Quelle pierre semi-précieuse provenant d'Asie, de couleur verte, est utilisée dans la fabrication de bijoux ?	Le JADE
3)	Comment se nomme le certificat permettant au créateur d'une invention de la protéger et de l'exploiter de façon exclusive ?	Un BREVET d'invention
4)	En musique, l'émission simultanée des notes Do-Mi-Sol donne l'accord de quelle tonalité ?	L'accord de DO Majeur
	EXPRESSIONS : *Quelle expression contenant…*	
1)	… le mot *feu*, signifie : « jurer, ou être certain de quelque chose » ?	METTRE SA MAIN AU FEU
2)	… le mot *bec*, signifie : « faire taire » ?	CLOUER LE BEC
3)	… le mot *mouche*, signifie : « frapper droit au but, toucher le centre de la cible » ?	FAIRE MOUCHE
4)	… le mot *main*, signifie : « être très généreux » ?	AVOIR LE COEUR SUR LA MAIN

RELIGION :

	Question	Réponse
1)	Quel personnage biblique fut choisi par Yahvé pour conduire les Hébreux jusqu'à la Terre promise ?	MOÏSE
2)	Dans quels lieux de Rome se réunissaient les premiers chrétiens pour célébrer leur religion sur les tombes de leurs martyrs ?	Les CATACOMBES
3)	Dans l'Ancien testament, qui a tué Goliath ?	DAVID
4)	* Quelle arme le vainqueur a-t-il utilisée ?	Une FRONDE

MYTHOLOGIE :

	Question	Réponse
1)	Quel cheval naquit du sang provenant de la tête coupée de Méduse ?	PÉGASE
2)	Dans la mythologie grecque, quel nom portaient les douze dieux qui gouvernaient le monde avant Zeus ?	Les TITANS
3)	En mythologie romaine, qui était le dieu du Feu et du Métal ?	VULCAIN
4)	Qui fut l'architecte du Labyrinthe de Crète, palais du roi Minos ?	DÉDALE

BIOLOGIE - MÉDECINE :

	Question	Réponse
1)	Quelles sont les premières dents à percer la gencive du bébé : les molaires, les canines, les incisives ou les prémolaires ?	Les INCISIVES
2)	Comment désigne-t-on la partie de la médecine qui traite des maladies de la peau ?	La DERMATOLOGIE
3)	Comment nomme-t-on les plus petits vaisseaux sanguins du corps humain ?	Les CAPILLAIRES
4)	Quelle maladie des poumons est causée par le bacille de Koch ?	La TUBERCULOSE

HISTOIRE :

	Question	Réponse
1)	Dans quelle ville le président John F. Kennedy fut-il assassiné ?	DALLAS
2)	Dans quelle ville situez-vous les *Jardins suspendus*, l'une des *Sept Merveilles du monde antique* ?	BABYLONE
3)	Quel nom désigne la *Vallée* de l'Égypte où les fouilles archéologiques nous apprirent beaucoup sur l'époque des pharaons et leurs tombeaux funéraires ?	La Vallée DES ROIS
4)	Sous l'empire romain, comment désignait-on la zone fortifiée bordant une frontière ?	* Le LIMÈS * Le LIMES

NOTIONS SCIENTIFIQUES :

	Question	Réponse
1)	Qui inventa la première ampoule électrique à incandescence : Thomas Edison, Alessandro Volta ou André-Marie Ampère ?	Thomas EDISON
2)	le 24 mai 1844, quel chercheur réussit ses premiers tests de transmission sur une longue distance au moyen du télégraphe électrique ? (Entre Baltimore et Washington).	Samuel MORSE
3)	Des quatre dates suivantes, laquelle correspond à l'année où Darwin émit l'idée que l'homme descendait des grands singes : 1757, 1807, 1857 ou 1907 ?	1857
4)	Pourquoi la gravité est-elle plus faible sur la Lune que sur la Terre ?	* MASSE PLUS FAIBLE * Lune PLUS petite

DIVERS :

	Question	Réponse
1)	Comment nomme-t-on la petite bobine de fil que l'on introduit dans la navette d'une machine à coudre ?	* Une CANETTE * Une CANNETTE
2)	Comment désigne-t-on un siège à dossier et à bras, pour une seule personne ?	Un FAUTEUIL
3)	Quel aviron court, à large pelle, sert à propulser des pirogues ou certaines embarcations sportives ?	La PAGAIE
4)	Dans quels lieux retrouve-t-on des peintures rupestres ?	* Des CAVERNES * Des GROTTES

Question	Réponse
GÉOGRAPHIE :	
1) Mise à part l'Australie, qui forme presque à elle seule un continent, quelle est alors la plus grande île du monde ?	Le GROENLAND
2) Quelle est la capitale de la Turquie ?	ANKARA
3) Quel fut le nom de la ville d'Istanbul, à partir de l'an 330 après J.-C. jusqu'en 1453 ?	CONSTANTI-NOPLE
4) * Avant l'an 330, quel était le nom de cette cité ?	BYZANCE
VIE ANIMALE :	
1) Quel verbe définit l'action de recueillir le nectar et le pollen des fleurs, en parlant des abeilles ?	BUTINER
2) Le dauphin n'est pas un poisson. À quelle classe d'animaux appartient-il ?	Aux MAMMIFÈRES
3) Sur quel continent vit le jaguar ?	En AMÉRIQUE (latine)
4) Nommez un des animaux qui *blatèrent*.	* Le BÉLIER * Le CHAMEAU * Le LAMA * Le DROMADAIRE
CONTES & LÉGENDES :	
1) Il avait déjà retiré une épine de la patte d'un lion. Qui est ce chrétien qui fut épargné par l'animal lorsqu'on le jeta dans l'arène de Rome ?	ANDROCLÈS
2) Le premier recueil de contes modernes remonte à 1697 avec la publication des *Contes de ma mère l'Oye*. Qui en est l'auteur ?	Charles PERRAULT
3) Comment désigne-t-on le génie souterrain que la tradition représente sous la forme d'un nain contrefait ?	Un GNOME
4) Dans le conte hongrois *Le prince des Orties*, quel animal, sauvé par un meunier, rendit service à ce dernier en lui trouvant une princesse à marier ?	Un RENARD

ASTRONOMIE :

	Question	Réponse
1)	En plus de ses anneaux spectaculaires, Saturne possède combien de satellites naturels ? (à ± 2)	DIX-HUIT
2)	Qu'est-ce que les astronautes ont rapporté de leurs voyages sur la Lune qui ont permis de faire de nombreux progrès sur la connaissance de l'univers ?	* Des PIERRES * Des ROCHES
3)	Comment désigne-t-on les corps célestes dont la gravité est tellement forte que même les rayons lumineux ne peuvent s'en échapper ?	Les TROUS NOIRS
4)	La température à la surface du Soleil est de : 500°C, 5 500°C ou 55 500°C ?	5 500°C

BD & DESSINS ANIMÉS :

	Question	Réponse
1)	Quel travail (ou métier) faisait le père de *Charlie Brown* pour gagner sa vie ?	BARBIER
2)	En 1983, quelle maladie a emporté Georges Remi (Hergé), le créateur de *Tintin* ?	La LEUCÉMIE
3)	À quel endroit pousse la fleur d'argent qu'*Astérix* et *Obélix* ont pour mission d'aller cueillir en Helvétie ?	Au sommet des MONTAGNES
4)	Nommez le chat du *Schtroumpf Gargamel*.	*AZRAËL*

DIVERS :

	Question	Réponse
1)	Comment désigne-t-on un établissement d'enseignement de la musique, de la danse ou de l'art dramatique ?	Un CONSERVATOIRE
2)	Quel meuble à tiroirs, destiné à ranger des papiers, est pourvu d'un panneau rabattable servant de table à écrire ?	Un SECRÉTAIRE
3)	Comment nomme-t-on la personne dont le métier est de naturaliser (empailler) les animaux morts ?	TAXIDERMISTE
4)	Comment désigne-t-on les fossés remplis d'eau entourant un château ?	Les DOUVES

OLYMPISME :

Question	Réponse
1) Les tiges et les feuilles de quelle plante utilisait-on dans l'Antiquité pour couronner les meilleurs athlètes ?	Le LAURIER
2) À quel sport associez-vous les sauts suivants : *salchow, boucle, flip, lutz et axel* ?	En PATINAGE ARTISTIQUE
3) Dans la Grèce antique, quel nom désignait l'athlète qui lançait le disque ?	Le DISCOBOLE
4) Les quatre premières disciplines pratiquées par les femmes furent : l'escrime, l'athlétisme et… Nommez l'une des deux autres.	* NATATION * GYMNASTIQUE

NOTIONS SCIENTIFIQUES :

Question	Réponse
1) Comment désigne-t-on la science d'autrefois où les chercheurs combinaient un peu de chimie et de magie ?	L'ALCHIMIE
2) Comment nomme-t-on les 24 divisions imaginaires de la surface de la Terre qui la séparent en 24 heures ?	Les FUSEAUX HORAIRES
3) Le baromètre est un appareil utilisé pour prévoir le temps qu'il fera. Que mesure-t-il ?	La PRESSION atmosphérique
4) Comparé à l'eau de mer, un iceberg contient : autant de sel, la moitié de sel ou pas de sel du tout ?	PAS DE SEL DU TOUT

BOTANIQUE :

Question	Réponse
1) Comment désigne-t-on l'ensemble des pétales d'une fleur ?	La COROLLE
2) Combien faut-il de grains pour produire un kilogramme de café torréfié : 80 - 800 ou 8 000 ?	HUIT MILLE
3) L'anthère, partie supérieure de l'étamine des plantes à fleurs, produit et libère quelle fine poussière constituée de grains microscopiques ?	Le POLLEN
4) À quoi ressemble un *potiron* ?	* Une COURGE * Une CITROUILLE

	Question	Réponse
	CUISINE :	
1)	Quel verbe définit l'action de faire griller ou rôtir un aliment de façon à lui donner une couleur dorée ?	RISSOLER
2)	Quel verbe définit l'action de faire cuire des œufs sans leur coquille en les plongeant dans un liquide bouillant ?	POCHER
3)	Quel nom désigne la sorte de tarte garnie de jambon et d'un mélange à base d'œufs et de crème ?	Une QUICHE
4)	Comment appelle-t-on le mets composé de viande de bœuf bouillie avec des carottes, navets, poireaux, oignons et autres légumes ?	* Un POT-AU-FEU * Un BOUILLI
	GÉOGRAPHIE :	
1)	Quatre pays forment le Royaume-Uni. Outre le pays de Galles, nommez-en deux autres.	* ANGLETERRE * ÉCOSSE * IRLANDE DU NORD
2)	Harlem est un quartier de quelle grande ville américaine ?	NEW YORK
3)	Sur quel continent le thé est-il surtout cultivé ?	En ASIE
4)	Comment désigne-t-on un bras de mer resserré entre deux terres ?	Un DÉTROIT
	DIVERS :	
1)	Quelle personne réussit à parler sans remuer les lèvres, en laissant croire que sa voix sort de la bouche d'un mannequin qu'il manipule ?	Un VENTRILOQUE
2)	Comment désigne-t-on une petite table munie d'un miroir que les femmes utilisent généralement pour les soins de beauté ?	Une COIFFEUSE
3)	Quel mot désigne le cercle lumineux entourant le Soleil ou la Lune et qui est dû au phénomène de réfraction de la lumière dans des cristaux de glace ?	HALO
4)	En musique, quelle clé utilise-t-on au début d'une portée pour indiquer des notes se situant dans le registre grave ?	La clé de FA

VIE ANIMALE :

	Question	Réponse
1)	La fourmi a un sens de l'orientation infaillible. Quel élément naturel utilise-t-elle pour se diriger et retrouver son nid ?	La LUMIÈRE (Soleil ou Lune)
2)	Placez par ordre de longueur de leur museau, du plus grand au plus petit, les animaux suivants : A) l'alligator B) le gavial et C) le crocodile.	BCA
3)	Avec leurs dix mètres de longueur, le python réticulé et l'anaconda sont les plus grands serpents du monde. Sur quel continent vit l'anaconda ?	En AMÉRIQUE (DU SUD)
4)	* Nommez deux des trois continents où vit le python.	* L'ASIE * L'AFRIQUE * L'OCÉANIE

HISTOIRE :

	Question	Réponse
1)	En mars 1974, dans quel pays a-t-on découvert une armée de 7 500 soldats en glaise cuite, enterrée depuis 22 siècles ?	En CHINE
2)	Comment nomme-t-on les caractères d'écriture de l'Égypte ancienne ?	HIÉROGLYPHES
3)	Quel nom portait le bâtiment où se réunissait le Sénat romain ?	La CURIE
4)	Nommez la civilisation qui inventa l'écriture il y a plus de 5000 ans.	* SUMÉRIENNE * MÉSOPOTAMIENNE

EXPRESSIONS :

Quelle expression contenant le mot *langue* signifie :

	Question	Réponse
1)	Ne pas savoir la réponse et abandonner la recherche ?	DONNER SA LANGUE AU CHAT
2)	Parler beaucoup trop et dire trop de choses qui doivent rester secrètes ?	AVOIR LA LANGUE LONGUE
3)	Ce qu'on dit d'une langue qui n'est plus parlée, comme le latin ou le grec ancien ?	Une LANGUE MORTE
4)	Ne pas se gêner pour dire ce que l'on pense ?	NE PAS AVOIR LA LANGUE DANS SA POCHE

NOTIONS SCIENTIFIQUES :

	Question	Réponse
1)	Quel mot commençant par « E » désigne l'ensemble des phénomènes extérieurs provoquant la transformation et la dégradation du relief terrestre ?	ÉROSION
2)	Lorsqu'on chauffe une matière, quels éléments de celle-ci s'agitent de plus en plus ?	Ses MOLÉCULES
3)	Nommez cet amiral anglais qui laissa son nom à l'échelle qu'il avait conçue en 1806 pour mesurer la force du vent.	Sir Francis BEAUFORT
4)	En astronomie, quel corps céleste présente un aspect diffus et vaporeux, aux contours imprécis et irréguliers ?	Une NÉBULEUSE

DIVERS :

	Question	Réponse
1)	Quelle sorte d'horloge, fonctionnant avec des poids, marque les heures par l'apparition et l'imitation du chant d'un oiseau ?	L'horloge COUCOU
2)	Quel grand mot désigne le magicien expert en manipulations ?	* ILLUSIONNISTE * PRESTI-DIGITATEUR
3)	Comment nomme-t-on la chaussure faite d'une seule pièce de bois creusée ?	Le SABOT
4)	* À quel pays européen identifie-t-on fréquemment cette chaussure ?	* Les PAYS-BAS * La HOLLANDE

MATHÉMATIQUES :

	Question	Réponse
1)	Quelle partie des mathématiques utilise des lettres pour représenter des valeurs numériques ?	L'ALGÈBRE
2)	Que vaut 40% de 50 ?	VINGT
3)	Comment qualifie-t-on des cercles ayant un centre commun ?	CONCENTRIQUES
	Quel nom porte la médiatrice qui joint le centre d'un polygone régulier à l'un de ses côtés ?	L'APOTHÈME

CONTES & LÉGENDES :

	Question	Réponse
1)	Quel roi aurait mis sa culotte à l'envers ?	*DAGOBERT*
2)	Dans le conte d'Andersen intitulé *Les Frères secrets*, la jeune fille avait combien de frères ?	DOUZE
3)	Qui peut voler dans les airs et est aussi la gouvernante de *Jane* et *Michaël* ?	*MARY POPPINS*
4)	En 1890, le célèbre compositeur russe Tchaïkovski composa la musique d'un ballet basé sur quel célèbre conte publié par Charles Perrault ?	*LA BELLE AU BOIS DORMANT*

ASTRONOMIE :

	Question	Réponse
1)	À la place des lentilles, qu'utilisa Isaac Newton pour construire sa lunette grossissante ?	Des MIROIRS
2)	Combien de minutes prend la lumière du Soleil pour parvenir jusqu'à nous ?	HUIT minutes
3)	Comment appelle-t-on les régions sombres qui se forment à la surface du Soleil en moyenne à tous les onze ans et qui ne durent que quelques semaines ?	Les TACHES SOLAIRES
4)	Combien de jours terrestres faut-il à Mercure, la planète la plus proche du Soleil, pour effectuer une révolution autour de celui-ci : 88 – 188 ou 288 ?	88 jours

HARRY POTTER :

	Question	Réponse
1)	Nommez la gare d'où part le Poudlard Express, sur la voie 9 3/4, pour conduire les élèves au Collège.	KING'S CROSS
2)	Dans quel pays est situé le Collège Poudlard ?	En ÉCOSSE
3)	Quel type de gnomes expulse-t-on en leur donnant le « tournis » ?	Les gnomes DE JARDINS
4)	En quel animal se transformait James Potter ?	En CERF

Question	Réponse
GÉOGRAPHIE :	
1) Comment désigne-t-on la ville abritant le siège du gouvernement d'un pays ?	La CAPITALE
2) Dans quelle ville se trouve le siège des Nations-Unies ?	NEW YORK
3) Quel est le seul pays qui a une frontière avec le Portugal ?	L'ESPAGNE
4) Après le Vatican, quel est le deuxième plus petit État du monde ?	MONACO
DIVERS :	
1) Comment désigne-t-on le nœud coulant qui sert de piège pour prendre certains animaux... comme des lièvres par exemple ?	Un COLLET
2) Le kirsch est un alcool fabriqué à base de quel fruit ?	La CERISE (et/ou merise)
3) Comment désigne-t-on les employés qui font le service aux passagers à bord d'un avion ?	* Des AGENTS DE BORD * Des STEWARDS
4) En musique, quelle lamelle d'ivoire, de bois, d'écaille ou de plastique sert à pincer les cordes d'une guitare ?	* Un PLECTRE * Un MÉDIATOR
VIE ANIMALE :	
1) Quel animal le *sériciculteur* élève-t-il ?	Le VER À SOIE
2) Dans quel pays fait-on l'élevage du ver à soie depuis plus de 4 500 ans ?	En CHINE
3) Lorsque les lions vont à la chasse, quels membres de la bande font presque tout le travail ?	Les LIONNES
4) Pendant deux semaines, la pieuvre pond jusqu'à 325 mille œufs et, durant les deux semaines qui suivent, elle surveille l'incubation. Qu'arrive-t-il à la mère après l'éclosion des œufs ?	Elle MEURT

NOTIONS SCIENTIFIQUES :

1) Quel nom composé désigne le grand four à cuve, chauffé à haute température, où l'on fait fondre le minerai de fer pour le transformer en acier ? | HAUT-FOURNEAU

2) La bauxite est le principal minerai de quel métal ? | L'ALUMINIUM

3) Quel procédé consiste à purifier et séparer le pétrole brut pour en obtenir des produits pétroliers finis ? | * RAFFINAGE
* DISTILLATION

4) Au moyen du feu, l'homme fabrique du métal et du verre depuis combien d'années :
600 - 6000 ou 60000 ans ? | SIX MILLE ans

RELIGION :

1) En Inde, quel fleuve est sacré pour les pratiquants de l'hindouisme ? | Le GANGE

2) Comment désigne-t-on un religieux ou une religieuse bouddhiste ? | * BONZE
* BONZESSE

3) Quelle est la principale ville sainte de la religion islamiste ? | LA MECQUE

4) Placez par ordre décroissant du nombre de leurs adeptes dans le monde, les trois religions suivantes :
A) Hindouisme B) Islamisme C) Christianisme
(1er = 2 milliards – 2e = 1 milliard – 3e = 800 000) | C B A

BIOLOGIE - MÉDECINE :

1) Quel organe sécrète la bile ? | Le FOIE

2) Nommez deux des trois types de vaisseaux chargés de transporter le sang à travers l'organisme. | * ARTÈRES
* VEINES
* CAPILLAIRES

3) Comment appelle-t-on la bosse apparaissant à la gorge des hommes et qui est formée par le cartilage thyroïde du larynx ? | La POMME D'ADAM

4) Quel Français considère-t-on comme le premier microbiologiste ? | Louis PASTEUR

JEUX :

	Question	Réponse
1)	Quelle importante firme japonaise a créé les *Pokémons* ?	NINTENDO
2)	Au début d'une partie d'échecs, combien de pions, au total, possèdent les deux joueurs qui s'affrontent?	SEIZE
3)	Quel célèbre jeu fut inventé à Philadelphie en 1933, au début de la Grande Crise économique, par Charles Darrow ?	Le MONOPOLY
4)	Quelle société commerciale détient les droits et produit le jeu de *Monopoly* ?	PARKER Brothers

DIVERS :

	Question	Réponse
1)	Nommez la personne dont le métier est de servir d'intermédiaire dans la vente d'immeubles.	* Un AGENT… * Un COURTIER… IMMOBILIER
2)	Quel officier possède le grade le plus élevé dans la marine ?	AMIRAL
3)	Comment désigne-t-on un homme attaché à la garde personnelle de quelqu'un ?	Un GARDE DU CORPS
4)	En matière musicale, quelle grande innovation est attribuée au moine bénédictin Guido d'Arezzo ?	IL NOMMA les NOTES de MUSIQUE

HISTOIRE :

	Question	Réponse
1)	Dans quel pays asiatique le *shogun* était-il un chef militaire et civil ?	Au JAPON
2)	Nommez la variété de navires à 3 ou 4 mâts qui permirent à Christophe Colomb de naviguer à l'époque des explorations.	Des CARAVELLES
3)	Des Sept Merveilles du monde antique, quelle était la plus imposante ?	Les PYRAMIDES d'Égypte
4)	Le Parthénon d'Athènes était dédié à quelle déesse ?	ATHÉNA Parthénos

MYTHOLOGIE :

	Question	Réponse
1)	Quel géant de la mythologie grecque fut condamné par Zeus à porter sur son dos le poids de la voûte céleste ?	ATLAS
2)	Nommez l'animal à corps de lion et à tête humaine qui a existé dans la mythologie égyptienne, puis dans celle de la Grèce.	Le SPHINX
3)	Dans la mythologie romaine, qui était le dieu de la Mer ?	NEPTUNE
4)	De quoi Bacchus est-il le dieu romain ?	* Du VIN * De la VÉGÉTATION

SPORTS :

	Question	Réponse
1)	Dans quel sport se sert-on d'un *piolet* ?	* ALPINISME * ESCALADE * SPÉLÉOLOGIE
2)	Au curling, comment nomme-t-on la pièce que l'on fait glisser sur la glace ?	La PIERRE
3)	Nommez le principal court de tennis de la Grande-Bretagne.	WIMBLEDON
4)	En patinage artistique, quel nom désigne le saut exécuté en faisant une rotation d'un tour et demi sur soi-même ?	Un AXEL

GÉOGRAPHIE :

De la ville de Londres, identifiez les sites suivants :

	Question	Réponse
1)	Quel fleuve y coule ?	La TAMISE
2)	Quel palais royal y est érigé ?	BUCKINGHAM Palace
3)	Son pont le plus célèbre porte le nom de son abbaye. Quel est-il ?	WESTMINSTER
4)	Quel est son rond-point le plus célèbre ?	PICCADILLY Circus

NOTIONS SCIENTIFIQUES :

Question	Réponse
1) Quel peuple de l'Antiquité inventa le cadenas ?	Les ÉGYPTIENS
2) Quelles trois lettres identifient l'acide désoxyribonucléique ?	ADN
3) Comment nomme-t-on l'étude de l'écriture qui a pour but d'identifier l'auteur d'un texte écrit à la main ou d'analyser son caractère ?	La GRAPHOLOGIE
4) Quel nom porte le véhicule spatial récupérable pouvant être utilisé pour plusieurs voyages ?	La NAVETTE spatiale

DIVERS :

Question	Réponse
1) Nommez l'un des deux styles d'architecture utilisés au Moyen Âge pour construire les cathédrales.	* GOTHIQUE * ROMAN
2) Comment désigne-t-on la personne chargée d'épier les actions et les paroles d'un ennemi pour le compte d'une nation et d'en faire rapport ?	* Un ESPION * Une ESPIONNE
3) Quel mot désigne la pièce cylindrique qui coulisse dans le cylindre d'un moteur ?	Le PISTON
4) Comment appelle-t-on la boisson obtenue par l'infusion dans l'eau chaude d'une substance végétale ?	Une TISANE

VIE ANIMALE :

Question	Réponse
1) Quelle position est généralement employée par le cheval pour dormir : debout, couché sur le côté ou accroupi ?	DEBOUT
2) Commençant par la lettre « A », nommez l'animal marin pourvu de tentacules et vivant fixé aux rochers, qui a l'aspect et porte le nom d'une fleur.	L'ANÉMONE de mer
3) Quels félins préfèrent voler leurs proies à d'autres prédateurs plutôt que de chasser eux-mêmes ?	Les LIONS
4) Nommez un animal qui possède la capacité de régénération, c'est-à-dire qu'il peut reconstituer un membre coupé.	* SALAMANDRE * ÉTOILE DE MER * LÉZARD * VER DE TERRE

CONTES & LÉGENDES :

1)	Quelle fée a élevé Sir *Lancelot du Lac* ?	*VIVIANE*
2)	D'après le conte japonais intitulé *Petit-Doigt*, un petit homme devint un grand guerrier après avoir reçu un coup de marteau magique. Comment désignait-on les guerriers de ce pays à l'époque ancienne ?	Les SAMOURAÏS
3)	Lors d'un banquet, que fit suspendre le tyran Denys l'Ancien au-dessus de la tête de *Damoclès* ?	Une ÉPÉE
4)	Dans un conte venant d'Irlande, *Jamie Freel* part avec neuf fées pour enlever une jeune Lady. Quel moyen de transport utilisent-ils ?	Un CHEVAL VOLANT

ASTRONOMIE :

1)	Nommez l'une des deux planètes qui n'ont pas de satellite naturel.	* MERCURE * VÉNUS
2)	Sur quelle mer lunaire se posèrent les premiers hommes, le 20 juillet 1969 ? (HNE)	La Mer de la TRANQUILLITÉ
3)	Au début des années 1970, par quel moyen les astronautes se déplaçaient-ils pour effectuer de longues distances sur la Lune ?	Avec une JEEP lunaire
4)	Lancé en 1990 par la NASA, comment se nomme le premier satellite-télescope ?	HUBBLE

EXPRESSIONS :

1)	Quelle expression signifiant « Se radoucir, modérer ses prétentions » se dit : « Mettre de l'eau dans... » ?	SON VIN
2)	Lorsqu'on veut demander à quelqu'un de faire un effort supplémentaire, on dit : « Donner un coup de ... » ?	COLLIER
3)	Selon l'expression populaire, la personne qui a un étourdissement ou qui « tombe dans les pommes » voit combien de chandelles ?	TRENTE-SIX
4)	Quelle expression signifiant « Avoir l'air déçu » se dit : « Avoir la (?) entre les jambes » ?	QUEUE

DIVERS :

Les embarcations…

Identifiez chacune des embarcations suivantes :

1) Barque vénitienne ? | GONDOLE

2) Bateau équipé pour la pêche, traînant un immense filet derrière lui ? | CHALUTIER

3) Longue barque étroite d'Afrique ou d'Océanie ? | PIROGUE

4) Très long bateau de course à un seul rameur ? | SKIFF

CINÉMA :

1) Quel est le métier de *Indiana Jones*, personnifié par Harrison Ford ? | ARCHÉOLOGUE

2) Qui interprète le rôle de *Columbo* dans des films policiers ? | Peter FALK

3) Quelle série télévisée de science-fiction, ayant pour thème l'espace, a été présentée à l'écran pour la première fois à l'automne 1966 ? | * *STAR TREK* * *PATROUILLE DU COSMOS*

4) Au XXe siècle, quel film a rapporté les plus grosses recettes du cinéma avec ses 600 millions de dollars? | *TITANIC* (1997)

NOTIONS SCIENTIFIQUES :

1) Vue de l'espace, notre planète Terre apparaît sous quelle couleur dominante ? | BLEUE

2) Quel appareil produit un faisceau très puissant et étroit de lumière cohérente ? | Le LASER

3) Il y a 12 siècles, quel peuple a découvert la poudre qui conduira à la mise au point du canon ? | CHINOIS

4) À la fin du XIXe siècle, à quel moyen de transport de l'époque ressemblaient les premières automobiles ? | Aux CALÈCHES

LITTÉRATURE :

	Question	Réponse
1)	Quelle est la couleur de la baleine *Moby Dick* ?	BLANCHE
2)	À quel pays associez-vous le célèbre fabuliste Ésope, esclave affranchi qui était affligé de nombreuses difformités ?	La GRÈCE
3)	Des écrivains de quel pays ont créé les personnages suivants : *Hercule Poirot*, *Sherlock Holmes* et *James Bond* ?	Du ROYAUME-UNI (Angleterre)
4)	Dans le roman de Jules Verne, qui a fait le tour du monde en quatre-vingts jours ?	*Phileas FOGG*

GÉOGRAPHIE :

	Question	Réponse
1)	Nommez le peuple berbère nomade le plus connu du Sahara.	TOUAREG
2)	Quel peuple parle le *yupik* ou le *inuktitut* ?	* INUIT * ESQUIMAU
3)	Des trois îles suivantes, lesquelles appartiennent à l'Italie : la Corse, la Sicile, la Sardaigne ?	* La SICILE * La SARDAIGNE
4)	Nommez deux des quatre pays dont une partie du territoire, située à l'extrême-nord de l'Europe, est habitée par les Lapons, un peuple semi-nomade.	* SUÈDE * RUSSIE * NORVÈGE * FINLANDE

DIVERS :

À quel pays associez-vous chacune des boissons suivantes :

	Question	Réponse
1)	Le saké ?	JAPON
2)	Le Cognac ?	FRANCE
3)	La Téquila ?	MEXIQUE
4)	Le Gin ?	PAYS-BAS

VOCABULAIRE :

	Question	Réponse
1)	Commençant par « D » : Parure de tête féminine en forme de bandeau ou de couronne. ~~ Dans l'Antiquité, ce bandeau de tête était l'insigne de la royauté.	DIADÈME
2)	Commençant par « V » : Bande d'oiseaux volant ensemble. ~~ Distance que franchit un oiseau sans se poser.	VOLÉE
3)	Commençant par « A » : Se dit d'une personne qui n'a pas ou n'a plus de voix.	APHONE
4)	Commençant par « P » : Dégradation d'un milieu par des agents physiques, chimiques ou biologiques.	POLLUTION

CUISINE :

	Question	Réponse
1)	Comment nomme-t-on une sauce faite à base d'huile et de vinaigre ?	Une VINAIGRETTE
2)	Quel potage espagnol, traditionnellement servi froid, est préparé à base de tomate, piment, concombre, ail et épices ?	Le GASPACHO
3)	Que dit-on d'un mets qui est recouvert de chapelure ou de fromage râpé et qui est doré au four ?	* GRATINÉ * AU GRATIN
4)	Comment appelle-t-on l'aliment liquide obtenu par la cuisson de légumes ou de viande dans l'eau ?	* BOUILLON * CONSOMMÉ * FOND

VIE ANIMALE :

	Question	Réponse
1)	Nommez l'oiseau terrestre le plus répandu sur notre globe.	Le MOINEAU
2)	Combien de tétines possède la truie ?	* DOUZE ou * QUATORZE
3)	Comment nomme-t-on la forme de thérapie qui utilise des animaux domestiques dans sa pratique ?	ZOOTHÉRAPIE
4)	Quel mot désigne la peur morbide de certains animaux ?	ZOOPHOBIE

BIOLOGIE – MÉDECINE :

	Question	Réponse
1)	Quel nom désigne la section de nos intestins qui mesure environ sept mètres ?	L'intestin GRÊLE
2)	En moyenne, combien de cheveux un humain a-t-il sur la tête : 10 000 - 100 000 ou 1 000 000 ?	CENT MILLE
3)	Quelle maladie infectieuse nomme-t-on *maladie du baiser* à cause de sa transmission par la salive ?	La MONONUCLÉOSE
4)	Qu'est-ce que l'*échine* d'une personne ou d'un animal ?	Sa COLONNE VERTÉBRALE

NOTIONS SCIENTIFIQUES :

	Question	Réponse
1)	Quelle machine automatique a permis aux industries de remplacer la main-d'œuvre humaine ?	Le ROBOT
2)	Lorsqu'on fait bouillir de l'eau, que contiennent les bulles qui se forment au fond du récipient et montent exploser à la surface ?	De la VAPEUR D'EAU
3)	En 1752, l'Américain Benjamin Franklin inventa quelle tige métallique qui, installée sur les édifices et reliée à la terre, peut prévenir les incendies causés par les orages électriques ?	Le PARATONNERRE
4)	En 1978, qu'a inventé la firme Philips dans le domaine musical ?	* Le CD * Le DISQUE COMPACT (DC)

DIVERS :

	Question	Réponse
1)	En musique, quel signe d'altération annule l'effet d'un dièse ou d'un bémol et ramène la note à son ton naturel ?	Le BÉCARRE
2)	Quel monstre Thésée devait-il tuer pour sortir du Labyrinthe ?	Le MINOTAURE
3)	En Formule 1, avant la course, quelle expression désigne la position des voitures prêtes à partir ?	La GRILLE DE DÉPART
4)	Quel champignon comestible souterrain porte le même nom que le nez du chien ou du chat ?	Une TRUFFE

HISTOIRE :

	Question	Réponse
1)	Dans quelle civilisation célébrait-on, chaque année en juillet, les *Panathénées* ?	La civilisation ATHÉNIENNE
2)	Quel ancêtre préhistorique fut le premier à fabriquer des outils taillés dans la pierre ?	L'AUSTRALO-PITHÈQUE
3)	Dans quelle ville était situé le palais du roi Minos, reconnu pour sa justice et sa sagesse ?	À * CNOSSOS * KNOSSOS
4)	* Sur quelle île grecque était érigé ce palais ?	L'île de CRÈTE

GÉOGRAPHIE :

	Question	Réponse
1)	Quelle langue est parlée dans la ville de Berlin ?	L'ALLEMAND
2)	Nommez l'un des deux pays qui composent la péninsule ibérique.	* ESPAGNE * PORTUGAL
3)	Dans quel pays a-t-on conçu les automobiles de marque Mitsubishi, Honda et Toyota ?	Au JAPON
4)	Le territoire de la Turquie s'étend sur deux continents… Lesquels ?	* ASIE * EUROPE

ASTRONOMIE :

	Question	Réponse
1)	Combien y a-t-il d'étoile(s) dans notre système solaire ?	UNE seule (le Soleil)
2)	Nommez la planète la plus rapide de notre système solaire… Elle porte le nom du messager des dieux dans la mythologie romaine.	MERCURE
3)	Environ combien de mois faut-il aux astronautes pour aller ou revenir de la planète Mars ?	SIX À SEPT mois
4)	Nommez l'un des deux éléments chimiques qui composent le noyau des trois planètes les plus rapprochées du Soleil.	* FER * NICKEL

CONTES & LÉGENDES :

	Question	Réponse
1)	Quelle était la nationalité de Hans Christian Andersen qui, au 19e siècle, créa plusieurs contes dont *le Vilain Petit Canard* et la *Petite Sirène* ?	DANOISE
2)	Un conte d'origine costaricaine raconte l'histoire de *Trois Oranges* qu'un prince cueillit à l'orée d'une forêt. Que trouva-t-il en les épluchant ?	TROIS JEUNES FILLES
3)	* Quel compositeur russe créa, en 1921, un opéra basé sur ce conte : *l'Amour des Trois Oranges* ?	Sergueï PROKOFIEV
4)	Quel conte, relatant l'histoire d'une petite fille, témoigne des risques encourus par les enfants qui parlent aux inconnus ?	*Le PETIT CHAPERON ROUGE*

DIVERS :

	Question	Réponse
1)	Comment se nomme un livre dans lequel l'auteur raconte sa propre vie ?	AUTOBIOGRA-PHIE
2)	Où est située la *carène* d'un bateau ?	Partie de la coque SOUS L'EAU
3)	Quel instrument de musique utilisaient Bach, puis Mozart à ses débuts, pour leurs compositions : le clavicorde, le clavecin ou le piano ?	Le CLAVECIN
4)	Qui a pour métier de vendre des assurances ?	* Un AGENT... * Un COURTIER... D'ASSURANCES

NOTIONS SCIENTIFIQUES :

	Question	Réponse
1)	Quel mot, commençant par « D », désigne l'action par laquelle une matière augmente de volume sous l'effet de la chaleur ?	DILATATION
2)	Quel appareil météorologique sert à mesurer la vitesse du vent ?	Un ANÉMOMÈTRE
3)	En 1935, quelle invention a été mise au point par le britannique Robert Watson-Watt : la télévision, le radar ou la télégraphie sans fil ?	Le RADAR
4)	Nommez deux des quatre éléments constituant la matière, selon les Grecs de l'Antiquité.	* AIR * EAU * TERRE * FEU

ARTS :

	Question	Réponse
1)	Qu'appelle-t-on le *Septième art* ?	Le CINÉMA
2)	Quel pays considère-t-on comme le *Berceau de la Renaissance* ?	L'ITALIE
3)	Nommez l'un des deux artistes italiens les plus renommés de la Renaissance.	* MICHEL-ANGE * LÉONARD DE VINCI
4)	Nommez deux des trois styles d'architecture de la Grèce antique qui caractérisent les colonnes et leurs chapiteaux.	* DORIQUE * IONIQUE * CORINTHIEN

EXPRESSIONS :

En utilisant le nom de parties du corps humain, complétez les expressions suivantes :

	Question	Réponse
1)	Signifiant : « Inspirer un sentiment d'horreur ou de peur ». On dit : « Faire dresser les… » ?	CHEVEUX SUR LA TÊTE
2)	Signifiant : « Être extrêmement surpris ». On dit : « Ouvrir des… » ?	* YEUX RONDS * GRANDS YEUX
3)	Signifiant : « Rencontrer quelqu'un brusquement, à l'improviste ». On dit : « Se trouver (?) avec lui ».	* NEZ À NEZ * FACE À FACE
4)	Signifiant : « Se tromper grossièrement ». On dit : « Se mettre un (?) dans (?) ».	* DOIGT * L'OEIL

HARRY POTTER :

	Question	Réponse
1)	Nommez le professeur qui enseigne à Harry Potter la défense contre les forces du mal en troisième année.	Le professeur LUPIN
2)	Quel est le prénom de madame Weasley ?	MOLLY
3)	Quel est le nom du professeur qui donne le cours d'Histoire de la Magie ?	Le professeur BINNS
4)	Quel nom désigne la poudre magique qui permet de se déplacer d'un endroit à un autre en passant par les cheminées ?	POUDRE DE CHEMINETTE

Question	Réponse
VIE ANIMALE :	
1) Une *sarcelle* est une variété d'écureuil, de poisson ou de canard ?	De CANARD
2) Quel nom, commençant par « B », désigne le trou que le cochon sauvage (ou sanglier) creuse dans la terre pour lui servir d'abri un jour ou deux ?	La BAUGE
3) L'œuf de quel oiseau peut peser jusqu'à un kilogramme et demi ?	De l'AUTRUCHE
4) Quel mot désigne le grand récipient dans lequel mangent certains animaux domestiques ?	* AUGE * MANGEOIRE
DIVERS :	
1) Comment appelle-t-on chaque épisode d'un roman publié régulièrement dans un journal, ou encore une émission fractionnée en épisodes successifs ?	Un FEUILLETON
2) Comment désigne-t-on un individu qui met le feu délibérément ?	* Un PYROMANE * Un INCENDIAIRE
3) En musique, quel effet produit un point placé après une figure de note ou une figure de silence ?	PROLONGER note ou silence
4) À quoi sert l'outil nommé *pied-de-biche* ?	* LEVIER * ARRACHE-CLOU
HISTOIRE :	
1) À l'arrivée des Espagnols, quelle importante nation amérindienne vivait dans la Cordillère des Andes, où est situé l'actuel Pérou ?	Les INCAS
2) Dans la Rome antique, comment désignait-on la classe populaire ?	La PLÈBE
3) * Par opposition, quels étaient les membres de la classe noble qui jouissaient de privilèges particuliers ?	Les PATRICIENS
4) Nommez l'une des principales armes que les hommes de la préhistoire ont utilisées pour chasser le gibier.	* MASSUE * COUTEAU * LANCE-PIERRE * HARPON * LANCE * ARC et FLÈCHES

GÉOGRAPHIE :

	Question	Réponse
1)	Quelle mer est reliée à la mer Rouge par le canal de Suez ?	MÉDITERRANÉE
2)	Quelle est la plus grande île des Caraïbes ?	CUBA
3)	De quel pays Athènes est-elle la capitale ?	La GRÈCE
4)	Nommez l'un des deux monuments les plus célèbres de Paris.	* La TOUR EIFFEL * L'ARC DE TRIOMPHE

RELIGION :

	Question	Réponse
1)	Dans l'Ancien Testament, qui était le père de Sem, Cham et Japhet ?	NOÉ
2)	Quel personnage biblique a reçu les dix commandements de Dieu ?	MOÏSE
3)	Quel mot désigne les Églises chrétiennes d'Orient (Russie ou Grèce) qui se sont détachées de Rome, en l'an 1054 ?	ORTHODOXES
4)	Quel est le prénom de la mère de la Vierge Marie ?	Sainte ANNE

NOTIONS SCIENTIFIQUES :

	Question	Réponse
1)	Quel mot commençant par « V » qualifie un liquide qui s'écoule difficilement... comme par exemple de la mélasse ?	VISQUEUX
2)	Quel mot décrit la zone terrestre où se déroule l'intensité maximale d'un séisme ?	ÉPICENTRE
3)	Qu'a inventé l'Italien Alessandro Volta, en 1800 ?	La PILE électrique
4)	Trouvez l'intrus parmi les éléments suivants : le bois, le fer, l'air, la lumière et l'eau.	La LUMIÈRE (pas de la matière)

BOTANIQUE :

	Question	Réponse
1)	Nommez l'organe reproducteur mâle d'une fleur.	L'ÉTAMINE
2)	Comment s'appelle le pigment vert des feuilles ?	CHLOROPHYLLE
3)	En forêt, quelle matière d'aspect terreux est formée de débris végétaux plus ou moins décomposés ?	De l'HUMUS
4)	Quel végétal, résultant de l'association d'un champignon et d'une algue, pousse sur les roches, les arbres ou au sol et résiste à des conditions extrêmes de température et de sécheresse ?	Le LICHEN

SPORTS :

	Question	Réponse
1)	En l'an 776 avant J.-C., dans quel pays a-t-on commencé à présenter des Jeux olympiques à tous les quatre ans ?	En GRÈCE
2)	Quelle action consiste à tasser la neige sur une piste de ski pour obtenir une surface plane et plus glissante ?	Le DAMAGE d'une piste
3)	En boxe olympique, quelle est la catégorie des poids les plus légers ?	Les MI-MOUCHES
4)	* Quelle catégorie vient immédiatement avant les *poids lourds* ?	Les MI-LOURDS

DIVERS :

	Question	Réponse
1)	Nommez cet ingénieur français, né en 1832, qui est le concepteur de la plus haute tour de Paris.	Gustave EIFFEL
2)	Quel mot désigne celui qui est à la fois gaucher et droitier.	AMBIDEXTRE
3)	Comment nomme-t-on le jouet ou petit instrument de musique très bruyant, constitué d'un moulinet denté sur lequel claque une languette de bois en tournant?	Une CRÉCELLE
4)	Quel est le principal travail d'un *pâtre* ?	* BERGER * FAIRE PAÎTRE LES TROUPEAUX

	ASTRONOMIE :	
1)	Comment désigne-t-on un corps céleste qui gravite autour d'une étoile ?	Une PLANÈTE
2)	Laquelle des neuf planètes de notre système solaire possède une masse supérieure à celle des huit autres planètes réunies avec les astéroïdes ?	JUPITER
3)	Avant l'arrivée des Européens en Amérique, quel peuple amérindien avait mis au point un calendrier complexe, établi sur les mouvements de Vénus ?	Les MAYAS
4)	Quels corps célestes ont été de tout temps considérés comme les présages de catastrophes lors de leur passage près de la Terre ?	Les COMÈTES
	MYTHOLOGIE :	
1)	Quel héros romain étouffa le lion de Némée et se revêtit de sa peau ?	HERCULE
2)	Nommez le cheval ailé qui devint une constellation.	PÉGASE
3)	En mythologie romaine, qui est le père et maître des dieux ?	JUPITER
4)	Hercule a été condamné aux douze travaux pour avoir commis l'assassinat de quelles personnes ?	SA FEMME ET SES ENFANTS
	EXPRESSIONS :	
	Avec le mot « château », quelle expression signifie :	
1)	« Former des projets irréalisables » ?	BÂTIR DES CHÂTEAUX EN ESPAGNE
2)	« Un réservoir surélevé permettant la mise sous pression d'un réseau de distribution d'eau » ?	Un CHÂTEAU D'EAU
3)	« Une forteresse entourée de fossés, à l'époque féodale et médiévale » ?	Un CHÂTEAU FORT
4)	« Un petit échafaudage de cartes à jouer » ?	Un CHÂTEAU DE CARTES

CONTES & LÉGENDES :

	Question	Réponse
1)	Dans un conte de Perrault, un homme riche ne trouvait pas d'épouse à cause de la couleur de sa barbe qui faisait fuir toutes les jeunes filles. De quelle couleur était cette barbe ?	BLEUE (Barbe Bleue)
2)	Dans les contes norvégiens, comment désigne-t-on les affreuses créatures, gentilles ou méchantes, dont la taille varie de nain à géant ?	Des TROLLS
3)	Dans un conte des frères Grimm, une belle princesse échappe sa balle d'or dans un puits. Quel animal la récupère et lui rend à certaines conditions ?	Une GRENOUILLE
4)	* Plus tard, irritée de devoir respecter les promesses exagérées qu'elle avait faites à l'animal, la princesse le lance contre un mur. Que redevint alors cet animal qui avait jadis été métamorphosé par une sorcière ?	Un beau PRINCE

VIE ANIMALE :

	Question	Réponse
1)	Quel petit crustacé, ressemblant à un homard, vit dans les eaux douces ?	L'ÉCREVISSE
2)	Comment nomme-t-on l'animal marin transparent et gélatineux, dont le corps en forme de cloche ou d'ombrelle possède de longs filaments expulsant un poison paralysant ?	* La MÉDUSE * Le JELLYFISH
3)	Dans quel pays la vache est-elle sacrée ?	En INDE
4)	Nommez deux des quatre espèces d'animaux qui sont les plus intelligents de la planète.	* CHIMPANZÉ * DAUPHIN * CHIEN * PORC

NOTIONS SCIENTIFIQUES :

	Question	Réponse
1)	Les métaux rétrécissent sous l'action du froid. Quel mot désigne ce phénomène ?	CONTRACTION
2)	Hippocrate est le *Père* de quelle science ?	De la MÉDECINE
3)	Quel composé chimique est le plus répandu sur Terre ?	L'EAU
4)	Combien pèse un décimètre cube d'eau, lequel équivaut à un litre ?	UN KILOGRAMME

DIVERS :

	Question	Réponse
1)	Quelles sont les quatre lettres du mot *téléphone* qui signifient *au loin* ?	TÉLÉ
2)	Comment désigne-t-on l'aéronef sans moteur qui vole en utilisant les courants atmosphériques ?	UN PLANEUR
3)	Dans quel domaine travaille un *cheminot* ?	Dans les CHEMINS DE FER
4)	Autrefois, à quoi servait une *amphore* ?	* De VASE * CONTENANT À LIQUIDES

GÉOGRAPHIE :

	Question	Réponse
1)	Quel canal sépare les deux Amériques ?	Canal de PANAMA
2)	Combien y a-t-il de bandes sur le drapeau des États-Unis ?	TREIZE
3)	* De quelles couleurs sont ces bandes ?	* BLANCHES * ROUGES
4)	Nommez l'une des deux plus grandes villes du monde dont l'agglomération urbaine compte, au début du XXIe siècle, environ 30 millions de citoyens.	* MEXICO * TOKYO-YOKOHAMA

HISTOIRE :

	Question	Réponse
1)	Quel empereur a ordonné l'incendie de Rome en l'an 64 après J.-C. ?	NÉRON
2)	Combien d'années vaut un *lustre,* mesure utilisée surtout à l'époque de la Rome antique ?	CINQ ans
3)	Mort en l'an 46 avant J.-C., qui était ce chef gaulois vaincu par César ?	VERCINGÉTORIX
4)	À quel âge mourut le grand conquérant macédonien Alexandre le Grand : 23 – 33 – 43 – 53 ou 63 ans ?	TRENTE-TROIS ans

QUE SUIS-JE ? :

A) Je suis un gros crustacé marin des fonds rocheux, à carapace épineuse.	Une LANGOUSTE
B) Je diffère du homard et de l'écrevisse.	
C) J'ai des pinces minuscules et ma chair est très estimée.	
D) Mon nom commence par la lettre « L ».	

QUE SUIS-JE ? :

A) Je suis une contrainte matérielle ou morale.	Un JOUG
B) Dans la Rome antique, j'étais une pique attachée horizontalement à deux autres piques plantées en terre, sous laquelle on faisait passer les ennemis vaincus, en signe de soumission.	
C) Je suis le bras mobile d'une balance et on me nomme aussi *fléau*.	
D) Je suis la pièce de bois que l'on place sur la tête ou l'encolure des bœufs pour les atteler.	

QUE SUIS-JE ? :

A) Je suis l'enveloppe souple d'un nerf ou d'un muscle.	Une GAINE
B) Je suis un étui épousant la forme de l'objet que je contiens.	
C) Je suis la base élargie du pétiole de certaines feuilles.	
D) Je suis un sous-vêtement féminin en tissu élastique, pour la taille et les hanches.	

LES INDICES D'UNE PERSONNALITÉ :

A) Cet Américain est décédé à Hawaii en 1974.

B) Il s'est illustré dans le domaine de l'aviation.

C) Son fils fut kidnappé pour une rançon, puis assassiné par l'agresseur.

D) En 1927, il fut le premier à traverser l'Atlantique Nord d'ouest en est, à bord du *Spirit of St.Louis*.

Charles LINDBERGH

LES INDICES D'UNE PERSONNALITÉ :

A) Cet Allemand fut naturalisé Suisse en 1900 et Américain en 1940.

B) Il remporta le prix Nobel de physique en 1921.

C) Professeur en Allemagne, il quitta son pays alors que Hitler était au pouvoir.

D) Il a émis deux théories sur la relativité que l'on résume dans la célèbre formule $E=mc^2$.

Albert EINSTEIN

LES INDICES D'UNE PERSONNALITÉ :

A) Cet homme politique romain est mort assassiné en l'an 43 avant J.-C.

B) Avocat, il fut tour à tour questeur, édile puis consul. C'est alors qu'il déjoua la conjuration de Catalina.

C) Lors du premier triumvirat formé de César, Crassus et Pompée, il fut exilé en Grèce. De retour, il se rallia à César ; puis, à la mort de ce dernier, il s'en prit à Antoine qui le fit assassiner.

D) Célèbre orateur, ses écrits servent de nos jours à l'étude du latin.

CICÉRON

Tableaux de références

Mythologie : divinités helléniques et latines

grecques	romaines	leur correspondant
Amphitrite	Amphitrite	déesse de la Mer.
Aphrodite	Vénus	déesse de la Beauté et de l'Amour.
Apollon ou Phoïbos	Apollon ou Phébus	dieu de la Lumière, de la Divination, de la Musique et de la Poésie, protecteur des Muses (musagète).
Arès	Mars	dieu de la Guerre.
Artémis	Diane	déesse de la Chasse.
Asclépios	Esculape	dieu de la Médecine.
Athéna	Minerve	déesse de l'Intelligence, de la Raison, des Arts, de la Littérature et de l'Industrie.
Cronos	Saturne	Titan, père de Zeus.
Cybèle	Cybèle	déesse de la Fécondité (divinité d'origine phrygienne).
Déméter	Cérès	déesse de la Terre cultivée.
Dionysos	Liber, Bacchus	dieu de la Vigne, du Vin, du Délire extatique.
Enyo	Bellone	déesse de la Guerre.
Éos	Aurore	déesse de l'Aurore.
Éris	Discorde	déesse mère de tous les fléaux.
Éros	Cupidon	fils d'Aphrodite, dieu de l'Amour.
Gaia ou Gê	Tellus	déesse personnifiant la Terre en voie de formation; ancêtre maternel des dieux et des monstres.
Hadès ou Ploutôn	Pluton ou Dis Pater	dieu des Enfers, régnant sur les morts; dieu des richesses de la Terre.
Hébé	Juventus	déesse de la Jeunesse.
Héphaïstos	Vulcain	dieu du Feu, des Forges et des potiers.
Héra	Junon	déesse du Mariage, protectrice des femmes mariées.
Hermès	Mercure	dieu messager des Olympiens, guide des voyageurs, conducteur des âmes des morts (psychopompe); protecteur des marchands, des voleurs et des orateurs.
Hestia	Vesta	déesse du Foyer domestique.
Hygie	Salus	déesse de la Santé.
Ino, Leucothéa/	Mater Matuta	déesse marine bienfaisante.
Iris	Iris	déesse messagère des Olympiens; personnification de l'arc-en-ciel.
Léto	Latone	mère d'Apollon et d'Artémis (associée au culte de ses enfants).
Pan	Faunus ou Sylvain	dieu des bergers d'Arcadie, divinité de la Fécondité, puis incarnation de l'Univers.
Perséphone ou Coré/	Proserpine	reine des Enfers.
Poséidon	Neptune	dieu des Mers, de l'Élément liquide et des Tremblements de terre.
Priape	Priape	dieu protecteur des vergers et des vignobles; personnification de la virilité.
Renommée ou Phêmé	Fama ou Rumor	déesse allégorique, messagère de Zeus.

Tableaux de références

Mythologie : divinités helléniques et latines (suite)

grecques	romaines	leur correspondant
Rhéa	Rhéa, Cybèle	Titanide, mère de Zeus.
Satyres	Faunes	demi-dieux champêtres et forestiers associés au culte de Dionysos; âgés, on les appelle Silènes.
Séléné	Luna	déesse de la Lune assimilée à Artémis.
Silène	Silène	père nourricier de Dionysos.
Thanatos	Orcus	dieu ou messager de la Mort.
Zeus	Jupiter	divinité suprême du panthéon des Anciens, dieu des phénomènes physiques (foudre, pluie, cycle des saisons), puis ordonnateur et intelligence du monde; dieu justicier protecteur des serments.

Source : Dictionnaire Hachette, Édition 2003, page 1090.

Si la Terre était un village de 100 personnes...

Si on pouvait réduire la population du monde en un village de 100 personnes tout en maintenant les proportions de tous les peuples existant sur la Terre, ce village serait ainsi composé :

* 57 Asiatiques
* 21 Européens
* 14 Américains
* 8 Africains

De ce nombre, 20 parlent le mandarin ou chinois, 7 parlent l'indi, 7 l'espagnol, 4 le russe, 4 le français, 3 l'arabe, 3 le bengali, 3 le portugais, 2 le malais, 2 le japonais, 7 parlent l'anglais en langue maternelle et 15 autres l'ont appris. Toutes autres langues-dialectes: ± 1% ch.

Il y aurait :

* 52 femmes et 48 hommes
* 30 blancs et 70 non blancs
* 31 chrétiens et 69 non chrétiens. Donc : 31 chrétiens, 19 musulmans, 14 hindouistes, 7 bouddhistes, 6 confucianistes, 4 shamans + shintoïste japonais, 0,33 pour chacun des 3 suivants : juif, sikh et taoïste. Les 18 restant sont athées.
* 89 hétérosexuels et 11 homosexuels
* 6 personnes possèdent 59% de la richesse totale
* 75 vivent dans des maisons de mauvaise qualité
* 20 des plus de 15 ans ne savent pas lire
* 50 souffrent de malnutrition
* 14 souffrent de malnutrition aiguë
* 26 n'ont pas assez d'eau
* 9 ont une voiture
* 1 seulement a un diplôme universitaire
* 1 a un ordinateur
* 1 meurt chaque année et 2,3 enfants naissent
* 48 sont dans le village même et les 52 autres sont éparpillés dans la campagne.

Tableaux de références

Si la Terre était un village de 100 personnes... (suite)

* L'espérance de vie va de 36 à 76 ans selon la région où il habite.
* En 2025, il y aura 133 personnes dans le village.
* Sans oublier 13 cochons, 18 vaches, 20 moutons, 180 poules, 7 chats, 8 chiens et 1 cheval.

Considère maintenant ceci :

* Si tu t'es levé ce matin en bonne santé, tu es plus chanceux que le million de personnes qui ne verra pas la semaine prochaine !

* Si tu n'as jamais été dans l'horreur d'une guerre, la solitude de l'emprisonnement, l'agonie de la torture, l'étau de la faim, tu es mieux que 500 millions de personnes !

* Si tu peux aller à l'église sans avoir peur d'être menacé, torturé ou tué, tu as une meilleure chance que 3 milliards de personnes sur 7 milliards, actuellement !

* Si tu as de la nourriture dans ton frigo, des habits sur toi, un toit sur ta tête et un endroit pour dormir, tu es plus riche que 75% des habitants de la Terre !

* Si tu as de l'argent à la banque, dans ton portefeuille, de la monnaie dans une petite boîte, tu fais partie des 8% les plus privilégiés du monde !

* Si tu lis ce message c'est parce que tu ne fais pas partie des 2 milliards de personnes qui ne savent pas lire !

Quand on considère notre monde à cette échelle, le besoin à la fois d'acceptation, de compréhension et d'éducation devient clairement évident.

Philip M. Harter, MD, FACEP,
Professeur à l'école de Médecine de l'Université de Stanford, Californie.
Traduit par Les Humains Associés, Sacha Quester-Séméon – 1999.

NDLR : Ce texte a circulé sur Internet en différentes traductions et interprétations. Le présent résumé provient de quatre versions différentes.

MISE À JOUR

Au lecteur : **MODIFICATIONS À APPORTER** à certaines questions.
Depuis la publication du volume # 1, des records ont été battus... des changements sont survenus... des coquilles ont été découvertes...
Il serait préférable de modifier les questions suivantes dans vos livres afin d'être précis :

Livre # 1 (1ère édition 1983) ***VÉRIFIEZ VOS CONNAISSANCES***
Voir Livre # 7 à la page 141.

***

Livre # 2 (1ère édition 1987) ***LE QUIZ : ... des génies-ologues***
Voir Livre # 12 à la page 140.

***

Livre # 3 (1990) ***LE QUIZ : ... vérifiez vos connaissances***
P.18, GÉOG.-4 = rép. : le tunnel du Simplon
P.33, 7eART-3 = changer 1957 pour 1952
P.84, HIST.-3 = rép. : couronné le 2 déc 1804
P.88, XXe-1 = en 1973
P.103, ARTS-2 = depuis le 25 décembre 1952
P.108, MUS.-4 = Elton John est britannique

***

Livre # 4 (1992) ***LE QUIZ : ... l'histoire de mon pays***
P.5, # 0001 = La Russie est... (La CEI n'a subsisté que peu d'années)

***

Livre # 5 (1993) ***LE QUIZ : ... vérifiez vos connaissances***
P.82, LITT.-2 = Blessent (ou) Bercent (2 variantes)
P.131, MATHS-3 = rép. : 3.141.....

***

Livre # 6 (1994) ***LE QUIZ : ... à la québécoise***
P.86, SPORTS-1 = les Raiders sont maintenant à OAKLAND
P.94, DIV.-1 = rép. : 1000 Lagauchetière.

***

Livre # 7 (1995) ***LE QUIZ : ... des mordus***
P. 105, 7e ART-3 = Norma Jean Baker (ou) Mortenson

***

Livre # 8 (1996) ***LE QUIZ : ... des éphémérides***
P. 9, le 7 janv. # 3 = Il faudrait lire : On propose d'attribuer le prix Nobel de la Paix au...
P. 49, le 17 avril # 1 = lire 1961 et non 1962.
P. 58, le 8 mai # 1 = St-Pierre est la principale ville de la Martinique.
P. 73, le 14 juin # 1 = « Che » Guevara est né en 1928.
P.109, le 13 sept. # 4 = C'est le 13 octobre 1988.

***

Livre # 9 (1997) ***LE QUIZ : ... jeunesse (1er)***
P. 64, LITT.-2 = rép. : BAUDELAIRE
P. 134, INVENT.-1 = changer : av. J.-C. pour apr. J.-C.

TABLE DES MATIÈRES

P.7 À 32 : 6-7 ANS – P.33 À 60 : 8-9 ANS
P.61 À 96 : 10-11 ANS – P.97 À 136 : 12-13 ANS ET +

Culture québécoise

Le QUIZ no.4 : ... l'histoire de mon pays

2 013 questions couvrant le programme d'Histoire au niveau secondaire IV, dans les écoles secondaires du Québec.

Les étudiants de sec. IV peuvent avantageusement utiliser le livre lors de leurs révisions de modules avant de faire les examens de fin d'étape, ou pour la révision générale avant l'examen du ministère, à la fin de l'année scolaire.

Pour ceux qui aiment l'histoire, c'est un jeu amusant et instructif. Vous reverrez les *grandes lignes* de 1534 à 1992.

Le QUIZ no.6 : ... à la québécoise

Ce livre, présenté sous forme de thèmes divers, couvre différents domaines de l'activité québécoise.

Il comporte 1 515 questions. Le thème qui compte le plus de questions couvre les grands moments de notre sport national.

Les principaux autres thèmes touchés sont, par ordre alphabétique : les arts, l'économie, les expressions, la géographie, l'histoire nationale, le 7e art, la littérature, le music-hall, la musique classique, l'olympisme, la religion, la télévision, etc.

LE QUIZ : coefficients de difficulté :

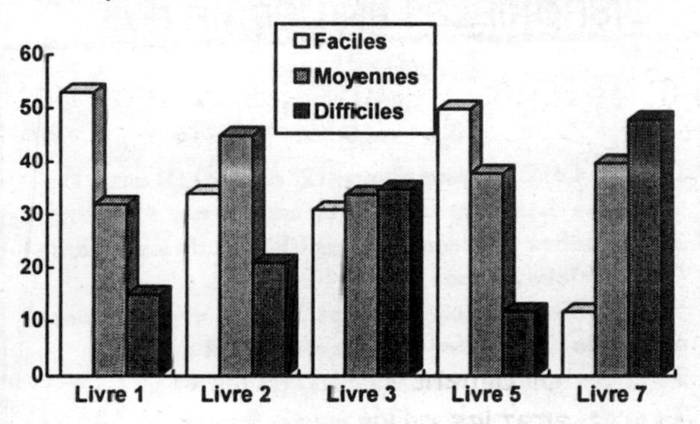

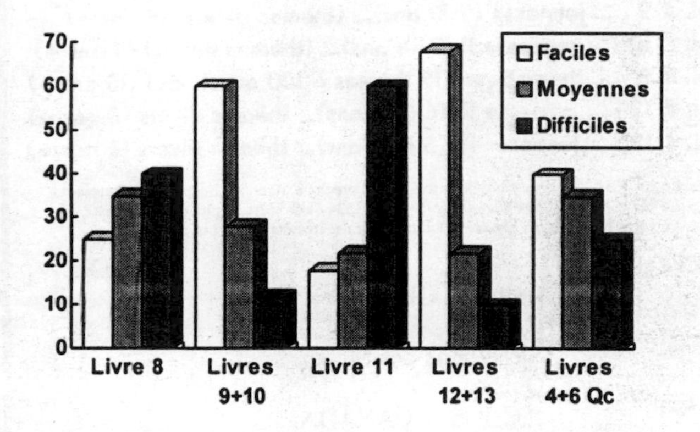

Classement par ordre de difficulté	Âge visé
L-12 + 13 : Thèmes diversifiés	6 ans et +
L-9 : Thèmes diversifiés	9 ans et +
L-10 : Thèmes diversifiés	9 ans et +
L-1 : (2e édition) Thèmes diversifiés	11 ans et +
L-5 : Thèmes diversifiés	12 ans et +
L-2 : Thèmes diversifiés	13 ans et +
L-8 : Faits historiques + divers	14 ans et +
L-4 : Histoire Canada-Québec	14 ans et +
L-6 : Culture québécoise (divers)	14 ans et +
L-3 : Thèmes diversifiés	15 ans et +
L-7 : Thèmes diversifiés	15 ans et +
L-11 : 15 thèmes (100 Q ch.)	15 ans et +

NB : (et +) = adultes inclus, à partir du 5e livre.(L-1)

DISPONIBLES EN LIBRAIRIE :

La collection

Le Quiz

Vol. # 1 : ... Le QUIZ (thèmes divers) (2e édition) (11 ans +)
Vol. # 2 : ... des champions (thèmes divers) (13 ans +)
Vol. # 3 : ... Vérifiez vos connaissances (thèmes divers :15 ans+)
Vol. # 4 : ... Histoire de mon pays (14 ans +)
Vol. # 5 : ... Vérifiez vos connaissances (thèmes divers :12 ans+)
Vol. # 6 : ... à la québécoise (thèmes divers) (14 ans +)
Vol. # 7 : ... des mordus (thèmes divers) (15 ans +)
Vol. # 8 : ... des éphémérides (366 jours à 4 quest./jour :14 a+)
Vol. # 9 : ... jeunesse (9-13 ans)... (thèmes divers) (9 ans +)
Vol. # 10 : ... jeunesse II (9-14 ans)... (thèmes divers) (9 ans +)
Vol. # 11 : ... thématique (15 thèmes à 100 quest. ch.) (15 ans +)
Vol. # 12 : ... jeunesse III (6 à 12 ans)... thèmes divers (6 ans +)
Vol. # 13 : ... jeunesse IV (6 à 13 ans)... thèmes divers (6 ans +)

N.B. : Le vol. # 3 a 2000 questions dans son édition première, dont 500 questions québécoises.
Le vol. # 4 en *Histoire Canada-Québec* (de 1534 à nos jours) contient 2013 questions.
Le vol. # 6 ... *à la québécoise* : Questions sur des intérêts québécois, seulement.

Produit par :

Éditions GENY
C. P. 393,
Ste-Agathe-des-Monts,
Québec,
J8C 3C6 CANADA.

courriel : quizgeny@polyinter.com (ou) lequiz@hotmail.com
http://planete.qc.ca/brisson
participez : nouveautés littéraires à gagner

IMPRIMÉ AU CANADA

DIFFUSION – DISTRIBUTION :
Canada : RAFFIN
Suisse : TRANSAT
Belgique : VANDER